J. BLANC   J.M. CARTIER   P. LEDERLIN

EN AVANT LA MUSIQUE

1

méthode de français

illustrateurs:
F. JOOS
G. BOUYSSE

Cle international
79, avenue Denfert Rochereau, 75014 PARIS

LEÇON 1

RUE
DE LA
LIBERTÉ

Boulevard
Circulaire

PARIS

St GERMAIN
RN 13

ARRIVÉE EN FRANCE

Prélude

LEÇON 2

1. — Tu es français ?
   — Non, je suis américain.
   — Moi, je suis italien.

2. — Et toi, tu es française ?
   — Non, anglaise.
   — Moi, je suis allemande.

3. — Tu parles français ?
   — Oui, un peu !

4. — En avant la musique !

"TU PARLES FRANÇAIS ?"

A — Tu es français ? ⟶↑   — Tu parles français ? ⟶↑
  — Non, je suis anglais. ↓ ⟶   — Oui, un peu. ↓ ⟶

B —

[ɛ]	[ɛz]	[ɛ̃]	[ɛn]
français	française	américain	américaine
anglais	anglaise	mexicain	mexicaine
[wa]	**[waz]**	**[jɛ̃]**	**[jɛn]**
suédois	suédoise	italien	italienne
chinois	chinoise	brésilien	brésilienne

Gammes

■ je - tu

je suis   je parle
tu es   tu parles

Catherine Deneuve

■ oui/non

tu es français ? **non**, je suis italien
tu parles français ? **oui**, un peu

■ je suis français ♂

français, portugais...
américain, marocain...
italien, canadien...
suédois, danois...
allemand...
suisse, belge...
espagnol...
grec, turc...

■ je suis française ♀

français**e**, portugais**e**...
américain**e**, marocain**e**...
italien**ne**, canadien**ne**...
suédois**e**, danois**e**...
allemand**e**...
suisse, belge...
espagnol**e**...
grec**que**, tur**que**...

Alain Delon

6

1. — *Tu es français ?*
   — *Non, je suis italien.*
   — *Tu parles français ?*
   — *Un peu.*

> *français* → anglais, espagnol...
> *italien* → allemand, américain...

2. — *Tu es française ?*
   — *Non, je suis italienne.*
   — *Tu parles italien ?*
   — *Oui.*
   — *Tu parles français ?*
   — *Un peu.*

> *français/française* → allemand/allemande...
> *italien/italienne* → anglais/anglaise...

Ils sont français ?
Ils parlent français ?

Dialoguez avec votre voisin(e)

Robert Charlebois

sylvie vartan

LEÇON 3

♪♫

1. — Salut, Laurent !
   — Salut, Jacques !

2. — Salut, Stéphane, ça va ?
   — Ça va !

3. — Salut, Anne !
   — Tiens, salut Franck !

4. — Ça va ?
   — Ça va bien, et toi ?
   — Pas mal, merci !

5. — Ça va, Gilles ?
   — Non, ça ne va pas.

6. — Ça va mal.
   — Ça va très mal !

" SALUT ! "

A — ·Ça va ?— Ça va bien ?

— Ça va ! — Ça va bien !

B   Salut !

Tiens, salut !

Tiens, salut Anne !

Tiens, salut Anne ! Ça va ?

Gammes

■ ça va ?   oui   non

ça va ?	ça va !	ça **ne** va **pas** !
ça va bien ?	ça va **bien** !	ça va **mal** !
	ça va **très bien** !	ça va **très mal** !
	pas mal !	**pas très bien** !

ALPHABET

A   comme Anne, Arnaud...
B   comme Béatrice, Bernard...
C   comme Cécile, Christophe...
D   comme Dorothée, Didier...
E   comme Estelle, Éric...
F   comme Françoise, Frédéric...
G   comme Gaëlle, Gilles...

H   comme Hélène, Hervé...
I   comme Isabelle, Isidore...
J   comme Julie, Jacques...
K   comme Karin, Kléber...
L   comme Laurence, Luc...
M   comme Marie, Michel...

N   comme Nicole, Nicolas...
O   comme Odile, Olivier...
P   comme Patricia, Philippe...
Q   comme Quentin...
R   comme Renée, Richard...
S   comme Sylvie, Stéphane...
T   comme Tatiana, Thomas...

U   comme Ursule, Urbain...
V   comme Valérie, Vincent...
W   comme William...
X   comme Xavier...
Y   comme Yolande, Yves...
Z   comme Zoé...

1. — *Salut Jacques, ça va ?*
   — *Tiens, salut Françoise !*
   Ça va, et toi ?
   — *Ça va !*

Jacques → Arnaud, Éric...
Françoise → Anne, Marie...

2. — *Ça va Luc ?*
   — *Oui, ça va !*

Luc → Hervé, Françoise, Cécile...
Oui, ça va → Ça va très bien, Non, ça va mal...

Faites-les parler.   Dialoguez avec votre voisin(e).

ça va ?

VARIATIONS

STONG !

et toi, ça va ?

11

LEÇON 4

1. — Salut !
   — Salut ! Je m'appelle Françoise.
   — Françoise comment ?
   — Françoise Martin.
   — Martin ?
   — Oui, c'est ça.

2. — Salut, je m'appelle Pierre Lantier.
   Et toi, tu t'appelles comment ?
   — Julie Dieudonné-Peyrard.
   — Julie comment ?
   — Dieudonné-Peyrard.
   Ça s'écrit D.I.É.U.D.O.N.N.É.-
   P.E.Y.R.A.R.D.
   — Oh ! là ! là !

3. — Tu es français, Pierre ?
   — Non, je suis canadien. Et toi ?
   — Moi, je suis française.
   — Tu es de Paris ?
   — Non, je suis d'Avignon.
   — Et toi, tu es d'où ?
   — Moi, je suis de Montréal.

4. — Tu es française, Diana ?
   — Non, je ne suis pas française,
   je suis anglaise.
   — Tu es d'où ?
   — D'Oxford. Tu parles anglais ?
   — Non. Je ne parle pas anglais,
   je parle allemand ! Je suis allemand.
   Je suis de Berlin.
   — Tu parles d'autres langues ?
   — Oui, je parle un peu italien.

"JE M'APPELLE FRANÇOISE !"

A. Tu t'appelles comment ?   — Je m'appelle Julie !
Je suis canadien, et toi ?   — Moi, je suis française !
Tu es de Paris ?   — Non, je suis d'Avignon !
Et toi, tu es d'où ?   — Moi, je suis de Montréal !

B. /a/ A H K   /e/ B C D G P T V W
/i/ I J X Y   /ε/ F L M N R S Z
/o/ O /y/ U Q   /ø/ E

Gammes

■ **tu es d'où ?**

je suis **de**		je suis **d'**	
Paris,		Avignon	
Marseille,		Amiens	
Lyon...		Orléans...	
Berlin,		Oxford,	
Londres,		Athènes,	
Rome...		Oslo...	

■ **tu t'appelles comment ?**

moi, je m'appelle Jean.

toi, tu t'appelles Françoise.

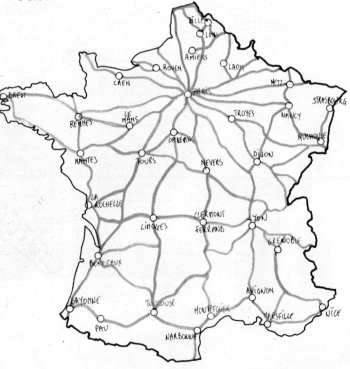

■ **ne... pas**

je m'appelle Françoise,   je **ne** m'appelle **pas** Jeanne.
je suis française,   je **ne** suis **pas** italienne.
je parle français,   je **ne** parle **pas** anglais.

1 *SOS. = S - O - S -*
SOS → GDF, PTT, EDF, ONU, CEE, USA, URSS, TGV, AFP, SNCF

RATP

F	♂	Nice →
D	♂	Bonn
GB	♀	Londres
I	♀	Rome
USA	♂	Chicago
E	♀	Burgos
N	♀	Oslo

2 — *Tu es d'où ? (F ♂ Nice)*
— *Je suis français. Je suis de Nice.*

Nice : la promenade des Anglais

3 — *Tu es français ? (français/italien)*
— *Non je ne suis pas français, je suis italien.*

français/italien →
américaine/anglaise
espagnol/portugais
norvégien/danois
allemande/suédoise
canadien/...

Ils s'appellent comment ? Ils sont d'où ?
Ils sont français ? Ils parlent français ?

Présentez-les - Épelez leurs noms.

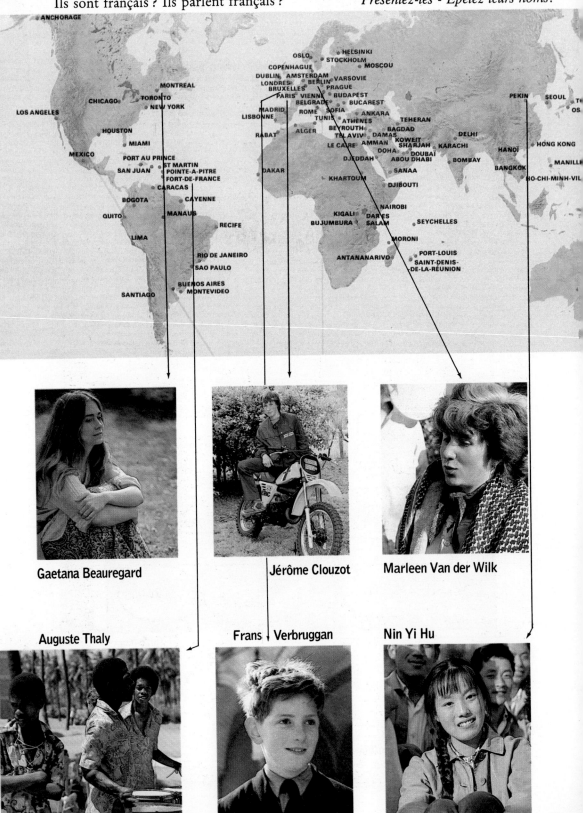

Gaetana Beauregard

Jérôme Clouzot

Marleen Van der Wilk

Auguste Thaly

Frans Verbruggan

Nin Yi Hu

Astérix LE GAVLOIS

Astérix Légionnaire - GOSCINNY/UDERZO   © Éd. Dargaud

LEÇON 5 LE CERCLE NOIR *(1er épisode)*

(à suivre)

A. [u] Bonjour.
Comment allez-vous ?
Vous êtes d'où ?
Qu'est-ce que vous faites ?

[y] Salut.
Comment vas-tu ?
Je suis de Tunis.
Je suis étudiante.

B. Je suis de Paris.

J'suis d'Paris.

Je m'appelle Jacques.

J' m'appelle Jacques.

Tu es français.

T'es français.

Gammes

■ conjugaisons

être	**faire**	**s'appeler**	**habiter**
je suis	je fais	je m'appelle	j'habite
tu es	tu fais	tu t'appelles	tu habites
elle/il est	elle/il fait	elle/il s'appelle	elle/il habite
vous êtes	vous faites	vous vous appelez	vous habitez
elles/ils sont	elles/ils font	elles/ils s'appellent	elles/ils habitent

■ masculin-féminin / singulier-pluriel — (les professions)

il est étudiant...

avocat	secrétaire
ouvrier	dentiste
acteur	photographe
agriculteur	architecte
collégien	journaliste
lycéen	médecin
	professeur...

elle est étudiante...

avocate	secrétaire
ouvrière	dentiste
actrice	photographe
agricultrice	architecte
collégienne	journaliste
lycéenne	médecin
	professeur...

ils sont étudiants...

avocats
secrétaires
dentistes...

elles sont étudiantes...

avocates
secrétaires
dentistes...

— Bonjour, je m'appelle Cécile Legrand.
  Et vous, vous vous appelez comment ?
— Moi, je m'appelle Jacques Martin.
— Vous habitez où ?
— J'habite Paris.

— Salut, je m'appelle Françoise.
  Et toi, tu t'appelles comment ?
— Moi, je m'appelle Jeanne.
— Tu es d'où ?
— Je suis de Marseille.

Etudes

1. — *Vous êtes journaliste ?*
   — *Non je ne suis pas journaliste,*
   je suis architecte

> *journaliste* → médecin, chanteuse...
> *architecte* → professeur, actrice...

2. *Je m'appelle Yves Montand.*
   Je suis acteur et chanteur.
   Je suis français, j'habite Paris.

> *Je m'appelle* → Il s'appelle

NOM .... MONTAND
Prénom .... Yves
Nationalité .... Française
Profession .... acteur et chanteur
Adresse .... 1 rue de la Liberté
                     PARIS (France)

3. *Elle s'appelle Isabelle Adjani.*
   Elle est actrice. Elle est française.
   Elle habite Paris.

> *Elle s'appelle* → a) Je m'appelle b) Nom, prénom, ...

VARIATIONS

Ils s'appellent comment ?
Qu'est-ce qu'ils font ?

Moi, je m'appelle Maria Gonzalez. J'habite Valence. Je suis espagnole. Je suis lycéenne. Je parle un peu français.

Moi ? Je m'appelle Peter Hufnagel. J'habite Mayence. Je suis allemand. Je suis étudiant. Je ne parle pas très bien français.

LUCKY DE SARCELLES

GASTON LEBŒUF

22

Vous êtes journaliste.

Présentez-les

Qui dit quoi ?

A. *Moi, je suis photographe.*

B. *Je suis secrétaire.*
   Je m'appelle Lucette Roy.

C. *Je suis agriculteur.*

D. *Qu'est-ce que vous faites ?*
   Vous vous appelez comment ?

E. *Je m'appelle Gaston.*
   Je suis garagiste.

Comment tu t'appelles ?
Tu habites où ?

Qu'est-ce que tu fais ?

Et ton voisin/ta voisine ?
Comment il s'appelle ?
Il habite où ?
Il parle français ?
Qu'est-ce qu'il fait ?

Dialoguez

23

LEÇON 6

1. — Tu as des bandes dessinées ?
   — Non, je n'ai pas de bandes dessinées, mais j'ai beaucoup de livres !

2. — J'ai aussi une montre suisse, un vélo anglais, un appareil photo japonais, une poupée russe, un chien allemand et une chatte siamoise. Je suis internationale !
   — Ah... !

3. — Et toi, qu'est-ce que tu as chez toi ?
   — Des bandes dessinées !
   — Beaucoup ?
   — Oui, beaucoup !
   — Combien ?
   — Vingt ou trente !

4. — J'ai une guitare, un violon et une trompette. Et toi ?
   — Moi, j'ai une flûte et un harmonica. Ah ! j'ai aussi des cassettes, des disques français, une radio et... une télé.
   — Tu as combien de disques ?
   — Beaucoup !

5. — Tu as une moto, toi ?
   — Non, je n'ai pas de moto, mais j'ai un vélo. C'est un vélo français. Il est chez moi.

6. — Je n'ai pas de radio. Je n'ai pas de moto. Je n'ai pas d'appareil photo.
   Mais j'ai un vélo !

" MOI , J'AI... "

[ʒ] Jacques, Jean, Julie	[ʃ] Charles, Chantal, Achille
Norvège, Algérie, Belgique	Chine, Chili, Chypre
un journaliste japonais	un architecte chinois
une collégienne norvégienne	une chanteuse chilienne
une girafe, un jaguar	un chat, un chien

Gammes

■ conjugaison : avoir

j'ai	/ɛ/	nous avons	/zavõ/
tu as	/a/	vous avez	/zave/
elle/il a	/a/	elles/ils ont	/zõ/

■ et

J'ai une radio **et** des disques.
Je parle italien **et** français.

■ pas de..., pas d'...

Tu as un vélo ?	Oui, j'ai un vélo !	Non, je n'ai **pas de** vélo !
Tu as une montre ?	Oui, j'ai une montre !	Non, je n'ai **pas de** montre !
Tu as un appareil photo ?	Oui, j'ai un appareil photo !	Non, je n'ai **pas d'**appareil photo !
Tu as des cassettes ?	Oui, j'ai des cassettes !	Non, je n'ai **pas de** cassettes !

■ beaucoup ? — combien ?

Tu as **beaucoup de** cassettes ? — Oui, beaucoup/Non, pas beaucoup.
Tu as **combien de** cassettes ? — Quarante ou cinquante/Une ou deux/Beaucoup.

■ un/une, des — il/elle, ils/elles

C'est   **un** livre anglais
       une montre japonaise

C'est   **un** architecte, **il** est français
       une journaliste, **elle** est italienne

Ce sont   **des** livres anglais
       des montres japonaises

Ce sont   **des** architectes, **ils** sont français
       des journalistes, **elles** sont italiennes

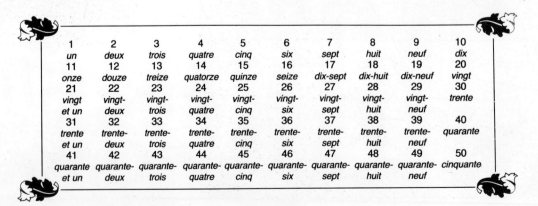

1	2	3	4	5	6	7	8	9	10
un	*deux*	*trois*	*quatre*	*cinq*	*six*	*sept*	*huit*	*neuf*	*dix*
11	12	13	14	15	16	17	18	19	20
onze	*douze*	*treize*	*quatorze*	*quinze*	*seize*	*dix-sept*	*dix-huit*	*dix-neuf*	*vingt*
21	22	23	24	25	26	27	28	29	30
vingt-	*vingt-*	*vingt-*	*vingt-*	*vingt-*	*vingt-*	*vingt-*	*vingt-*	*vingt-*	*trente*
et un	*deux*	*trois*	*quatre*	*cinq*	*six*	*sept*	*huit*	*neuf*	
31	32	33	34	35	36	37	38	39	40
trente-	*trente-*	*trente-*	*trente-*	*trente-*	*trente-*	*trente-*	*trente-*	*trente-*	*quarante*
et un	*deux*	*trois*	*quatre*	*cinq*	*six*	*sept*	*huit*	*neuf*	
41	42	43	44	45	46	47	48	49	50
quarante	*quarante-*	*quarante-*	*quarante-*	*quarante-*	*quarante-*	*quarante-*	*quarante-*	*quarante-*	*cinquante*
et un	*deux*	*trois*	*quatre*	*cinq*	*six*	*sept*	*huit*	*neuf*	

1 — *Tu as un chien ?*
— *Non, je n'ai pas de chien,*
mais j'ai un chat.

> chien → radio, disques, livres, vélo...
> chat → télé, cassettes,
> bandes dessinées, moto...

2 — *Tu as des livres ?*
— *Oui.*
— *Ce sont des livres anglais ?*
— *Non, ce sont des livres français.*

> livres → cassettes, bandes dessinées,
> radio, flûte, violon...
> anglais → américain, italien...

3 — *4 et 3, ça fait combien ?*
— *Ça fait 7.*

> 4 et 3 → 8 et 11, 20 et 6 ...

4 — *Ce sont des architectes américains.*
— *Non, ils ne sont pas américains,*
ils sont espagnols.

> architectes américains ⟶
> photographes brésiliens/portugais
> journalistes anglaises/italiennes...

Vous avez un vélo ?
Faites-les parler

Et toi, qu'est-ce que tu as chez toi ?
Tu as des disques ? Tu as des
instruments de musique ? Tu as
des livres ?

LES GAMMAS N'EXISTENT PAS

LEÇON 7

1. — Dis, où est le téléphone ?
   — Il est là.
   — Où, là ?
   — Là, sous la table, tu vois ?

2. — Tu cherches quoi ?
   — Je cherche un livre.
   — Quel livre ?
   — Un livre sur Jules César.
     Où sont les livres d'histoire ?
   — Ils sont là, sur l'étagère, à droite.
   — Ah oui ! merci.

3. — Dis, où est la chatte ?
   — Hein ?
   — La chatte, où est-ce qu'elle est ?
   — Je ne sais pas... Elle est dans le
     jardin ou dans la cuisine.

4. — Qu'est-ce que tu as dans la valise ?
   — Quelle valise ?
   — La valise là, derrière toi.
   — Hein ? Ah ! Euh...
     Des fromages !

5. — Allô ! François ? Bonjour.
     C'est Anne !
   — Bonjour Anne, ça va ?
   — Ça va, mais je cherche le chien !
   — Le chien ?
   — Oui, je ne sais pas où il est !
   — Il n'est pas dans le jardin ?

6. — Oh ! Il est là !
   — Où, là ?
   — Là, devant moi !
   — Ah, bon !...
   — Au revoir, François.
   — Au revoir !

" IL EST LÀ "

A. [s] sous, sur, le salon, le séjour
   [z] la cuisine, la valise, Jules César

B. — Où est le téléphone ?
   — Je ne sais pas.
   — Qu'est-ce que tu as dans la valise ?
   — Hein ? Ah ! Euh...

C. Je ne sais pas.

> J'sais pas

Gammes

■ qu'est-ce que ? quoi ?

Qu'est-ce que tu cherches ?
Qu'est-ce que tu vois ?

Tu cherches quoi ?
Tu vois quoi ?

■ le, la, les - un, une, des - quel(s), quelle(s)...

— qu'est ce que tu cherches ?

	masculin	féminin
singulier	**un** — Un livre. **quel** — Quel livre ? **le** — Le livre de maths. **il** — Il est sur la table.	**une** — Une cassette. **quelle** — Quelle cassette ? **la** — La cassette de Sylvie Vartan. **elle** — Elle est sur l'étagère.
pluriel	**des** — Des livres. **quels** — Quels livres ? **les** — Les livres de géographie. **ils** — Ils sont dans la valise.	**des** — Des cassettes. **quelles** — Quelles cassettes ? **les** — Les cassettes de musique classique. **elles** — Elles sont dans l'armoire.

■ conjugaisons :

voir
je vois [vwa]
vous voyez [vwaje]
ils/elles voient [vwa]

savoir
je sais [sɛ]
vous savez [save]
ils/elles savent [sav]

34

à gauche   à droite   sous   sur

derrière   devant   entre   dans

Etudes

1. — *Le numéro 6, qu'est-ce que c'est ?*
   — *C'est une télévision.*

> *6* → 7, 5, 1...

2. — *Dis, tu as des livres ?*
   — *Oui.*
   — *Ils sont où ?*
   — *Ils sont sur l'étagère.*

> *livres* → cassettes, radio, télé...

1. *une fenêtre*
2. *un lit*
3. *une table*
4. *une chaise*
5. *une étagère*
6. *un téléphone*
7. *une radio*
8. *une guitare*

3. — *Qu'est-ce que tu cherches ?*
   — *Je cherche la guitare.*
   — *Elle est sur le lit.*

> *guitare* → livre, valise, chat...
> *sur* → sous, devant, derrière...
> *lit* → table, chaise, fenêtre...

Le « déménagement » : *Aidez-le*

Où est...?   *Faites-les parler*

Tintin : Le crabe aux pinces d'or - HERGÉ © Casterman

Le commissaire de police.

— *Qu'est-ce que vous avez dans la valise ?*
— *J'ai . . . . , ...*
— *Et l'argent ? Où est l'argent ?*
— *Je ne sais pas où il est !*
— *Il est sous la télévision ?*

Continuez

La maison

1. *le grenier*
2. *la chambre des enfants*
3. *la chambre des parents*
4. *la salle de bains*
5. *l'entrée*
6. *le salon, le séjour*
7. *la salle à manger*
8. *la cuisine*
9. *la cave*
0. *le garage*
1. *le jardin*

« Où sont-ils ? »

Décrivez

grand-papa   maman   papa   Marc   Béatrice   Henri   Pierre

C'est l'hiver au Canada
(en Amérique).
Il fait froid. Il fait − 30°.
Il neige. Il gèle.

C'est l'automne (en France).
Il fait mauvais. Il pleut beaucoup.

Ils sont au Sahara.
Il fait très chaud.
Ils ont chaud.
Ils ont soif.

LES 4 SAISONS

C'est l'été au Sahara (en Afrique).
Il fait très chaud.
Il fait + 50°.

— Tu n'as pas froid ?
— Non, ça va, mais j'ai faim.
  Et toi, tu n'as pas froid ?
— Si, un peu.
— Et tu as faim ?
— Oui, très faim.

Il fait nuit.
Elle : ça va ?
Lui : ça va, et toi ?
Elle : ça va, mais j'ai un peu froid.
Lui : moi aussi, j'ai froid !
Elle : tu as froid ou tu as peur ?

C'est le printemps (en Italie).
Il fait beau.

39

/wa/ Il fait froid	Trois	/ɥi/ Il fait nuit.	Huit
J'ai soif	Vingt-trois	Voilà la pluie.	Dix-huit
	Trente-trois.		Vingt-huit.

Gammes

■ **le - la - l'**

Le Canada	La France	L'Italie
Le Brésil	La Belgique	L'Espagne
Le Portugal...	La Chine...	L'Amérique...

■ **il habite au..., en...**

au Canada	en France	en Italie
au Brésil...	en Belgique...	en Espagne...

■ **oui - non - si**

Tu as faim ? — **Oui,** j'ai faim,
— **Non,** je n'ai pas faim.
Tu n'as pas soif ? — **Si,** j'ai soif,
— **Non,** je n'ai pas soif.

■ **ou**

J'ai faim **et** soif.
Tu as froid **ou** tu as peur ?
J'ai une télé **et** une radio.
Tu as un vélo **ou** une moto ?

■ **les saisons :**

été,

automne,

Été, le 21 juin.
juillet, août, septembre.

Automne, le 23 septembre.
octobre, novembre, décembre.

hiver,   printemps

Hiver, le 22 décembre.   Printemps, le 21 mars.
janvier, février, mars.   avril, mai, juin.

Études

1. *Il habite où ?*
   — Il habite Marseille !
   — C'est où, Marseille ?
   — C'est en France.

   | Marseille (France) → Rome (Italie),
   Québec (Canada), Rio de Janeiro (Brésil)... |

2. *30 + 15, ça fait combien ?*
   — Ça fait 45.

   | *30 + 15* → 40 − 6,   28 + 9,   5 − 3, 12 +37... |

3. *Tu n'as pas froid ?*
   — Non, ça va. Et toi, tu as froid ?
   — Oui, un peu !

   | *froid* → chaud, faim... |

Décembre au Brésil et en France.

Il fait beau ? Il fait chaud ?
Ils ont chaud ou froid ?
Décrivez

Et chez toi ?
Il fait beau aujourd'hui ?
Il fait chaud ?
Il neige ?
Il fait combien ?

Ils ont faim ? Ils ont soif ?

Faites-les parler

Et toi, tu as chaud ?
Tu as froid ?

Tu as soif ?
Tu as faim ?

A. Dites, vous savez où il y a
   un restaurant ?
   — Peut-être là-bas !
   — Merci beaucoup !
   — Je vous en prie !

/v/   /f/

B. Un village, le village de Clairval.
Un café, le café de France.
Valérie est avocate.
François est photographe.

Gammes

■ il y a...

Il y a **une** poste ici ?   Non, il n'y a **pas de** poste.
Il y a **un** café ici ?   Non, il n'y a **pas de** café.

■ un / le ?

Il y a **un** café.   C'est **le** café de la gare.
Il y a **une** poste.   C'est **la** poste de Chalon.
Il y a **des** hôtels.   Ce sont **les** hôtels de Clairval.

■ du, de la, de l', des

La poste   En face **de la** poste.
Le restaurant   En face **du** restaurant.
L'hôtel   En face **de l'**hôtel.
Les taxis   En face **des** taxis.

■ où... ? ici/là-bas

À GAUCHE DE LA MAISON

PRÈS DE LA MAISON

EN FACE DE LA MAISON

À DROITE DE LA MAISON

À CÔTÉ DE LA MAISON

AU COIN DE LA MAISON

50, 51...	cinquante, cinquante-et-un...	100, 101, 102...	cent, cent un, cent deux...
60	soixante.	200, 201...	deux cents, deux cent un...
70, 71...	soixante-dix, soixante-et-onze...	300, 400...	trois cents, quatre cents...
80, 81...	quatre-vingts, quatre-vingt-un...	1 000, 1 001...	mille, mille un...
90, 91...	quatre-vingt-dix, quatre-vingt-onze...	2 000, 3 000...	deux mille, trois mille...

Études

1. *S'il vous plaît, est-ce qu'il y a un hôtel, ici ?*
— Oui, il y a un hôtel ! C'est l'hôtel des Voyageurs.

> un hôtel → un restaurant,
> un café, un cinéma...

2. *Excusez-moi, où est-ce qu'il y a une poste ?*
— Une poste ? A côté de l'école,
en face du café du Commerce.

> une poste → un supermarché,
> une école, un cinéma...

3. *— Quelle est l'adresse du restaurant*
« Les Ambassadeurs » ?
— Le restaurant « Les Ambassadeurs », c'est
4 avenue Pierre-Sémard.

— S'il vous plaît, quel est le numéro
de téléphone de la réserve africaine ?
— La réserve africaine, c'est le 45.20.20.

> *Le restaurant « Les Ambassadeurs »* →
> le bar « le Petit Comptoir »,
> le garage Renault,
> la réserve africaine.
>
> *la réserve africaine* → l'hôtel, le bar...

Au sahara

— *Excusez-moi monsieur, est-ce qu'il y a une poste près d'ici ?*
— *Ici, c'est le désert. Il n'y a pas de poste.*
— *Il y a une poste à ... à X km...*

Faites-les parler

Une pension de famille

Il y a une salle à manger ?
... une salle de bains ?...
Elle est où ?
Décrivez

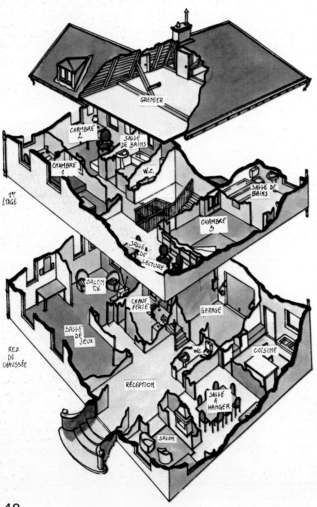

Et toi,
tu sais où il y a une poste ?
une station de taxis, une gare...,

Dialoguez avec votre voisin(e)

UNE SPHÈRE !! LA SPHÈRE DES GAMMAS !

GAMMAS !? OÙ ÊTES VOUS ?

VROP VRC iiii VROP VRC

AGAM GAGAM !

MAGAM

MAGAM C'EST RO-GER.

RO-GER.. ROGER !..

OUI ... JE M'APPELLE ROGER...

TU T'APPELLES ROGER ,,

ET TOI COMMENT T'APPELLES-TU ?

JE M'APPELLE... GAMMA ...

GAMMA !?

NON ! TU NE T'APPELLES PAS GAMMA ! TU T'APPELLES ... ODILE !!

ODILE.. JE M'APPELLE ODILE !!

ROGER !

ROGER

ODILE

ODILE !

VROP VRC iiii VROP VRC

ATTENTION !! LES GENDARMES ARRIVENT !

(à suivre)

LEÇON 10

♪♪♪

2. Un village de montagne : Argentière.
Argentière est situé dans les Alpes à 173 km au nord-est de Grenoble, près de Chamonix.
En été, il y fait chaud.
En hiver, il y fait très froid.

1. Une petite ville de province :
Dinan
Dinan est en Bretagne, près de la mer.
Il y a 17 500 habitants.

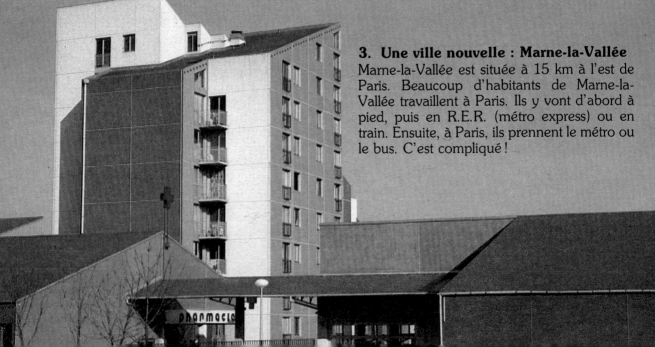

3. Une ville nouvelle : Marne-la-Vallée
Marne-la-Vallée est située à 15 km à l'est de Paris. Beaucoup d'habitants de Marne-la-Vallée travaillent à Paris. Ils y vont d'abord à pied, puis en R.E.R. (métro express) ou en train. Ensuite, à Paris, ils prennent le métro ou le bus. C'est compliqué !

C'EST EN FRANCE !

A. — Pardon madame, pour aller à Dinan, s'il vous plaît ?
    — Dinan ? C'est simple ! Vous allez jusqu'à Dol ; à Dol vous tournez à gauche, et c'est tout droit.
    — C'est loin d'ici ?
    — Euh !... 40 km à peu près.
    — Merci bien.

B. — Dites, je cherche l'usine Somécalix à Marne-la-Vallée.
    — Vous y allez à pied ?
    — Ben oui. C'est compliqué ?
    — Non, mais c'est loin ! Vous savez où est la gare ? Eh bien, l'usine est à 3 km de la gare.
    — Après la gare ?
    — Après la gare, oui, sur la route de La Garde.
    — Après La Garde ?
    — Mais non ! Après la gare, mais avant La Garde !

C. — Excusez-moi monsieur l'agent, la route d'Argentière ?
    — Argentière ? Euh, attendez... Vous allez tout droit, jus-qu'au carrefour, là...
    — Je vais tout droit jusqu'au carrefour...
    — Vous tournez à droite et vous passez sur le pont...
    — Je tourne à droite et je passe sur le pont...
    — Ensuite, vous prenez la première à gauche, puis la deuxième à droite.
    — Ensuite, je prends la première à droite puis la deuxième à gauche...
    — Non ! d'abord la première à gauche, puis la deuxième à droite.
    — Ah oui ! D'abord la deuxième à gauche puis la pre-mière... Non !
    Oh ! là ! là ! C'est compliqué !

/ã/	/ɛ̃/	/õ/
Dinan	Amiens	Lyon
Argentière	Aix-les-Bains	Dijon
Nantes	Moulins	Toulon
La France	La Finlande	Le Japon
C'est grand	C'est simple	C'est compliqué

Gammes

■ conjugaison :

aller		**prendre**
Je vais /vɛ/	Nous allons /alõ/	Je prends /prã/
Tu vas /va/	Vous allez /ale/	Vous prenez /prəne/
Elle/Il va /va/	Elles/Ils vont /võ/	Elles/Ils prennent /prɛn/

■ aller au, à la, à l'...

c'est...	**je vais...**
Dinan	**à** Dinan
Le cinéma	**au** cinéma
La poste	**à la** poste
L'hôtel	**à l'**hôtel
L'usine	**à l'**usine

■ aller en voiture... aller à pied...

en (= dans)	**à** (= sur)
en voiture	**à** pied
en autobus	**à** bicyclette **à** vélo
en train	**à** moto
en avion	**à** cheval
en bateau	

■ où ?

— Au nord, au sud, à l'est, à l'ouest, au nord-ouest, au sud-est...
— Près/loin, avant/après/jusqu'à.
— A gauche/à droite, tout droit.
— A 100 mètres, à 200 mètres... à 1 kilomètre, à 2 kilomètres...
— A 5 minutes en voiture, à 10 minutes à pied...

— Près de Dinan, loin de Paris
— A gauche du port, à droite de la gare, à ... km de l'hôtel
— Au nord de l'usine, à l'est des Alpes.

■ y

Tu vas **à** Paris ?	Oui, j'**y** vais.
Vous êtes **en** France ?	Oui, j'**y** suis.
Il habite **à** Lyon ?	Oui, il **y** habite.
Elles vont **au** cinéma ?	Oui, elles **y** vont.
Vous allez **à** Dinan ?	Non, je n'**y** vais pas.

■ 1er, 2e, 3e...

1er = premier, première ; 2e = deuxième ; 3e = troisième ; 4e = quatrième ; 5e = cinquième ; 6e = sixième ; 7e = septième ; 8e = huitième ; 9e = neuvième ; 10e = dixième ; 11e = onzième ; 12e = douzième ; 13e = treizième ; 14e = quatorzième ; 15e = quinzième· 16^e = seizième ; 17e = dix-septième ; 18e = dix-huitième ; 19e = dix-neuvième ; 20e = vingtième ; 21e = vingt-et-unième .... dernier, dernière

Études

1. — *Tu vas au cinéma ?*
— *Oui.*
— *Tu y vas à pied ?*
— *Non, j'y vais à bicyclette.*

cinéma → poste, gare, Paris, Honolulu...
pied → voiture, vélo, avion...

2. — *C'est où, Annecy ?*
— *C'est au sud de Genève, entre Genève et Chambéry.*

Annecy → Gap, Aix...

3. — *Chambéry, c'est loin de Lyon ?*
— *Pas très loin.*
— *C'est à combien de km de Lyon ?*
— *93 kilomètres.*

Chambéry/Lyon → Valence/Marseille, Aix/Marseille

4. — *Je suis à Gap.*
Je fais 87 km vers le sud-est.
Je tourne à gauche,
et je fais 148 km vers l'est.
J'arrive où ?
— *A Nice.*

87 km S. E. + 148 km E. →
103 km N. + 97 km O.
87 km S. E. + 110 km S. O. + 77 km N. O.

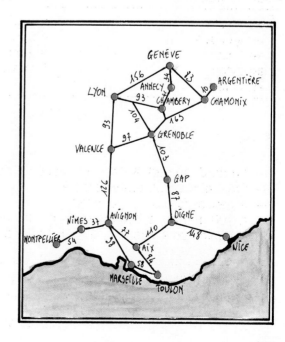

Où est-ce ? C'est loin de Paris ?
C'est loin de ton pays ?
Qu'est-ce que c'est ?
C'est une grande ville ou un village ?

Décrivez

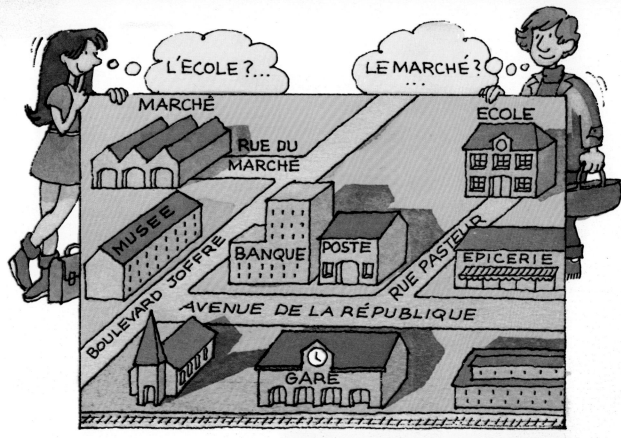

Il va au marché, à l'école...

Indiquez-lui le chemin

— *Tu vas au lycée à pied ?*
— *Non, j'y vais en bus.*
— *C'est loin ?*
— *Oh... 15 minutes.*
— *Et à pied ?*
— *A pied... 35 minutes.*

C'est où, chez toi ?
C'est loin ?
Tu vas au collège à pied ?

LEÇON 11

1. — Dis, tu aimes Estella Blanca ?
   — Non, elle n'est pas belle.
   — Et tu aimes Rodolphe Valentani ?
   — Oui, lui, il est beau.
   — Estella est américaine ?
   — Mais non ! Elle est française !
   — Et Rodolphe est français, lui aussi ?
   — Mais non ! Il est américain !

2. — Tu aimes Monsieur Duval ?
   — Ah non ! pas du tout.
   — Pourquoi ?
   — Parce qu'il est vieux et qu'il n'est pas amusant. Je préfère le professeur de français : il est moins vieux, et plus sympa.

3. — Qu'est-ce que tu préfères ?
     La moto ou le vélo ?
   — Le vélo, tiens !
   — Pourquoi ?
   — Parce que c'est plus sportif que la moto.
   — Oui, peut-être, mais la moto, c'est plus rapide.
   — Moi, je n'aime pas la moto, c'est cher et ennuyeux !
   — Il est fou ! Il n'aime pas la moto. Il préfère le vélo !

4. — Tu aimes les grosses voitures américaines ?
   — Non, je préfère les petites voitures.
   — Quelles petites voitures ?
   — La 2 CV par exemple ou la R5.
     Ce sont des voitures très amusantes et pas chères.
   — Moi, j'aime le vélomoteur. Ce n'est pas ennuyeux, le vélomoteur. C'est beau... c'est rapide... Très rapide !

" TU AIMES ? "

Accords

Liaisons

C'est_amusant.
C'est très_amusant.
Vous_êtes français ?
Il est_américain.
Elle est_américaine.

Tu pars_à Paris ? /parapari/
Oui, peut-être.
La rue des_Églises, s'il vous plaît ?
C'est_à gauche ! Merci.
Je vous_en prie.

Gammes

■ conjugaisons :

aimer — préférer

J'aime	Je préfère
Vous aimez	Vous préférez
Ils/elles aiment	Ils/elles préfèrent

■ un peu, beaucoup...

J'adore
J'aime beaucoup
J'aime bien
J'aime un peu
Je n'aime pas
Je n'aime pas du tout
Je déteste
Je préfère

Il/Elle m'aime...
1. Un peu
2. Beaucoup
3. Passionnément
4. A la folie
5. Pas du tout
6. Un peu...
etc.

■ grand/grande, grands/grandes

a)
Il est grand.	Elle est grande.
Il est petit.	Elle est petite.
Il est blond.	Elle est blonde.
Il est brun.	Elle est brune.
Il est gros.	Elle est grosse.
Il est amusant.	Elle est amusante.
Il est laid.	Elle est laide.

Les hommes grands.	Les femmes grandes.
Les petits garçons.	Les petites filles.
Les Suédois blonds.	Les Suédoises blondes.
Les garçons bruns.	Les filles brunes.

b)	Il est jeune.		Elle est jeune.
	Il est riche.		Elle est riche.		Les acteurs riches.		Les actrices riches.
	Il est pauvre.		Elle est pauvre.		Les hommes pauvres.		Les femmes pauvres.
	Il est maigre.		Elle est maigre.		Les étudiants sympa.		Les étudiantes sympa.
	Il est sympa.		Elle est sympa.

c)	Il est beau.		Elle est belle.			Les vieux messieurs.
	Il est vieux.		Elle est vieille.			Les garçons sportifs.
	Il est fou.		Elle est folle.
	Il est ennuyeux.		Elle est ennuyeuse.			Les vieilles dames.
	Il est sportif.		Elle est sportive.			Les filles sportives.

■ plus, moins, aussi...

La Renault 30 est **plus** grosse **que** la 2 CV Citroën.	(+)
La 2 CV est **moins** chère **que** la Renault 30.	(−)
La Renault 30 est **aussi** chère **que** la Peugeot 604.	(=)

mauvais → plus mauvais
bon → meilleur

La Renault 5 n'est pas une **mauvaise** voiture ; c'est une **bonne** voiture,
mais la Renault 9 est une **très bonne** voiture ;
la Renault 9 est une **meilleure** voiture que la Renault 5.

■ pourquoi ? parce que

— Je n'aime pas Mme Rosset.
— Pourquoi ?
— Parce qu'elle n'est pas sympa.

Je n'aime pas la moto.
Je préfère le vélo,
parce que je suis sportif.

1. — *La moto est plus rapide que le vélo.*
   — *C'est vrai ! Le vélo est moins rapide que la moto.*

> → Les BD sont plus amusantes que les livres.
> Les professeurs sont moins jeunes que les élèves.
> A Madrid, il fait moins froid qu'à Oslo...

2. — *Jacques est plus vieux que Jean !*
   — *Ah non ! il est plus jeune !*

> → Pauline est plus petite que Françoise.
> Estella est plus riche que Rodolphe.
> Le film est plus amusant que le livre.
> Le disque est meilleur que la cassette...

3.

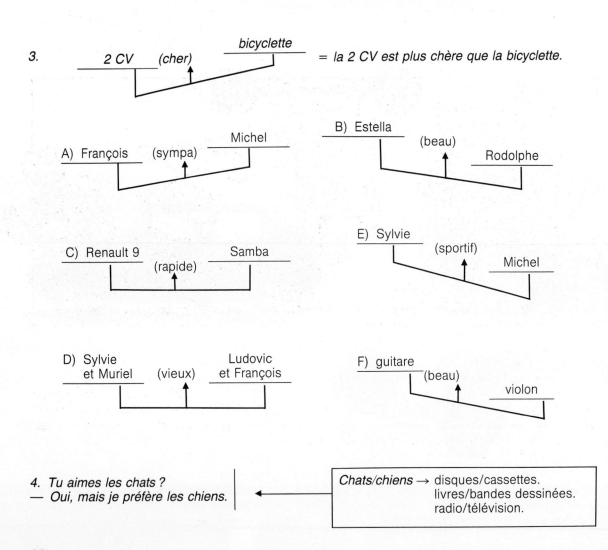

2 CV (cher) bicyclette = *la 2 CV est plus chère que la bicyclette.*

A) François (sympa) Michel

B) Estella (beau) Rodolphe

C) Renault 9 (rapide) Samba

E) Sylvie (sportif) Michel

D) Sylvie et Muriel (vieux) Ludovic et François

F) guitare (beau) violon

4. *Tu aimes les chats ?*
   — *Oui, mais je préfère les chiens.*

Chats/chiens → disques/cassettes.
livres/bandes dessinées.
radio/télévision.

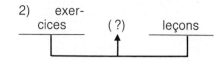

« Andante »

Les grosses voitures sont plus chères que les petites

Continuez

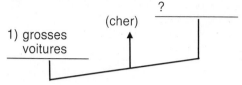

1) grosses voitures — (cher) ↑ — ?

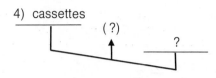

2) exer-cices — (?) ↑ — leçons

3) chiens — (beau) ↑ — ?

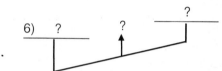

4) cassettes — (?) ↑ — ?

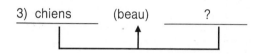

5) ? — ? ↑ — ?

6) ? — ? ↑ — ?

« Allegro ma non troppo »

— *Le chat de Cécile est plus sympa que le chien de Laurent.*
— *Oui, mais le chien de Laurent est plus grand que le vélo de Christine.*
— *Oui, mais le vélo de Christine est plus beau que la poupée de Valérie...*

« Vivace »

— *Vous aimez les petits chats ?*
— *Non, je préfère les chiens sportifs.*
— *Vous aimez les livres amusants ?*
— *Non, je préfère les vieux disques...*

Continuez

Continuez

Ils sont sympa ?
Ils sont jeunes ?
Qui préfères-tu ?
Pourquoi ?

C'est moderne ?
C'est sportif ?
Tu préfères quoi ?
Pourquoi ?

Que préfères-tu ?
Pourquoi ?

COUP DE PÉTALE

Bill, nom d'un chien ! - ROBAR

LEÇON 12

1. — On rentre ensemble ?
   — D'accord ! Je rentre avec toi.
   — Tu connais Catherine ?
   — Non, qui est-ce ?
   — C'est une copine. Elle ressemble à Isabelle Aumère, l'actrice.
   — Elle a quel âge ?
   — Elle est jeune : on a le même âge, elle a 14 ans ; comme moi.
   — Et elle habite où ?
   — A Toulouse, 12, rue Jean-Jaurès.

2. — Tu as une grande famille ?
   — Oui, j'ai un petit frère et une grande sœur.
   — Ton frère a quel âge ?
   — C'est un bébé : il a un an.
   — Et ta sœur ?
   — Elle a dix-sept ans.
   — Et tes parents ?
   — Leur âge ?
   — Oui.
   — Ma mère a trente-neuf ans et mon père a trente-huit ans.

3. — Qu'est-ce qu'il fait ton père ?
   — Il est ouvrier. Il travaille dans une usine de vélomoteurs.
   — C'est quel genre ?
   — Qui ?
   — Ton père...
   — Oh, mon père ? Il est très grand, très beau, et très tranquille... et il aime la danse et l'opéra... Il porte des lunettes et il a une belle barbe. J'ai aussi une grand-mère, elle a soixante-sept ans, et un grand-père, il a quatre-vingt-quatre ans... et j'ai aussi trois cousins.
   — Ils ont quel âge ?
   — Mes cousins ont douze, quinze et dix-sept ans. J'ai encore une cousine. Elle a vingt-trois ans, elle est mariée. Son mari a aussi vingt-trois ans. Maintenant, tu connais l'âge de tout le monde !

" TU AS UNE GRANDE FAMILLE ? "

/ø/	deux, le monsieur, il est vieux, c'est ennuyeux.
/œ/	neuf, la sœur, elle est jeune, j'ai peur.

/nœf/	neuf /nœf/
/nœf/	neuf livres /nœflivr/
/nœv/	neuf ans /nœvã/

/sis/	six /sis/
/si/	six cousins /sikuzɛ̃/
/siz/	six enfants /sizãfã/

/vɛ̃/	vingt /vɛ̃/
/vɛ̃/	vingt B.D. /vɛ̃bede/
/vɛ̃t/	vingt-deux /vɛ̃tdø/
/vɛ̃t/	vingt usines /vɛ̃tyzin/

/dis/	dix /dis/
/di/	dix cassettes /dikasɛt/
/diz/	dix amis /dizami/

Gammes

■ mon, ma, mes, etc.

Je	**mon** nom	**ma** rue	**mes** livres.
Tu	**ton** prénom	**ta** voiture	**tes** cassettes.
Il/elle	**son** domicile	**sa** maison	**ses** bandes dessinées.
Nous/on	**notre** ville		**nos** amis
Vous	**votre** professeur		**vos** cousins.
Ils/elles	**leur** âge		**leurs** amis /lœrzami/.

Il	**son** livre **sa** bicyclette **ses** cassettes	Elle	**son** livre **sa** bicyclette **ses** cassettes	Ils/elles	**leurs** livres **leurs** bicyclettes **leurs** cassettes

Jean, c'est ta bicyclette ?	Oui, c'est ma bicyclette.
Jeanne, c'est ta bicyclette ?	Oui, c'est ma bicyclette.

C'est votre bicyclette, monsieur ? Oui, c'est ma bicyclette.
Ce sont vos livres, madame ? Oui, ce sont mes livres.
C'est votre mère, les enfants ? Oui, c'est notre mère.
Ce sont vos parents, les enfants ? Oui, ce sont nos parents.

■ on = nous

On rentre ensemble. = Nous rentrons ensemble.
On a le même âge. = Nous avons le même âge.

■ conjugaison : **connaître**

Je connais	Nous connaissons
Tu connais	Vous connaissez
Il/elle/on connaît	Ils/elles connaissent.

■ qui est-ce ?

— Tu connais Dominique ? — Non, c'est qui ?
— Tu connais Jean-Michel — Non, qui est-ce ?
Comment s'appelle-t-il (elle) ? Elle/il s'appelle comment ?
Où habite-t-il (elle) ? Elle/il habite où ?
Quel âge a-t-il (elle) ? Elle/il a quel âge ?
Qu'est-ce qu'il (elle) fait ? Elle/il fait quoi ?

Etudes

1. *Tu connais Jacques ?*
   — *Bien sûr, c'est mon cousin.*

> *Tu* → il/elle, ils/elles, vous.
> *Mon* → ma, son/sa, leur, notre.
> *Cousin(s)* → cousine(s), copain(s), copine(s), professeur(s).
> *Jacques* → Françoise, Viviane et Marie, Paul et Thomas.

2. « *Devinette* »
   — *Le frère de ta mère, qui est-ce ?*
   — *C'est mon oncle !*

> *Le frère de ta mère* → la mère de ton père.
> La fille de ton oncle, la sœur de ton cousin.
> Le frère de la fille de la femme du frère de ta mère.

1. *ma sœur*
2. *moi*
3. *ma mère*
4. *mon père*
5. *mon oncle*
6. *ma tante*
7. *mon cousin*
8. *ma grand-mère*
9. *mon grand-père*

LA FAMILLE DES MOTARDS

— Présentez-les : *le n° 1* c'est la grand-mère Motard.
Elle est vieille mais elle est sportive.
Le n° 2..., n° 3... *Dialoguez*

Une belle famille !
Ils ont quel âge ? Présentez-les : la grand-mère a soixante dix ans...

Et toi, tu as une grande famille ?
Ta mère, qu'est-ce qu'elle fait ?

Ton père, qu'est-ce qu'il fait ?
Ils ont quel âge ?

« Interview »

Je m'appelle Nicole Michelet, j'ai 19 ans. J'habite Marseille, rue Saint-Ferréol, je suis étudiante. Ma ville préférée ? Marseille bien sûr ! Mais j'aime aussi Toulouse. Mon acteur préféré ? Euh... J'aime bien Depardieu... je n'aime pas Alain Delon... Je préfère une actrice : Isabelle Huppert. Mes chanteurs et chanteuses préférés ?... Gilbert Lafaye, Alain Souchon, Diane Dufresne. Non, je n'ai pas de voiture, je vais à l'université en bus. Pardon ? Ah ! mon sport préféré... je ne fais pas de sport. Non, je ne connais pas Paris. Mon numéro de téléphone ? Ah ! ah ! Je n'ai pas de téléphone.

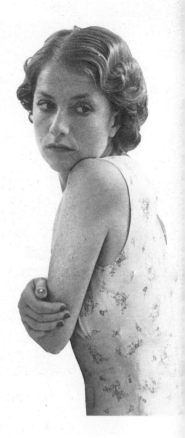

1) Vous êtes le journaliste : posez les questions.

2) Présentez Nicole Michelet : *elle s'appelle..., elle a 19 ans, elle habite Marseille..., sa ville préférée c'est...*

3) Présentez-vous : *je m'appelle..., Ma ville préférée..., Mon sport préféré...*

« Célébrités »

Monsieur Hector Nichtmeyer est architecte. Il est jeune (il a 35 ans), grand (1,85 m), brun et très sportif. Il est riche et célèbre : il a une belle maison, un beau parc et une grosse voiture américaine. Il aime beaucoup le luxe.

Christabelle Dajani est actrice de cinéma. Elle est très jeune (quel âge a-t-elle ? Chut ! C'est un secret), petite, très brune, sportive et très, très, très jolie. Elle est aussi très sympa. Elle habite une vieille maison ; elle a une petite voiture, une bicyclette et beaucoup de chats.

Faites le portrait d'une femme ou d'un homme célèbre ;
d'une fille ou d'un garçon antipathique ou sympathique.

FUGUES

BONSOIR, MESSIEURS, VOUS PERMETTEZ ?

VOUS ÊTES DE BRÉZOLLES ?

OUI...

JE SUIS JOURNALISTE JE VIENS DE PARIS !!

..ET VOUS CHERCHEZ LES GAMMAS...

C'EST ÇA !! JE CHERCHE LES GAMMAS... OÙ SONT-ILS ?

JE NE SAIS PAS MONSIEUR...

LES GAMMAS NE SONT PAS A BRÉZOLLES.

AU REVOIR, MESSIEURS

LES GAMMAS N'EXISTENT PAS !!

(à suivre)

RENCONTRE

— *Pardon monsieur, vous connaissez la ville ?*
— *Un peu.*
— *Je cherche l'hôtel du Parc.*
— *L'hôtel du Parc ! C'est amusant : c'est mon hôtel, j'y ai une chambre.*
C'est là-bas. Vous prenez l'avenue et ensuite la deuxième à gauche. Ce
n'est pas loin, c'est à 300 mètres.
— *C'est un bon hôtel ?*
— *Non, il n'est ni bon ni beau, mais il n'est pas cher... Il y a un autre hôtel en*
face de l'hôtel du Parc : il s'appelle l'hôtel du Centre. Il est meilleur, mais il est
plus cher... vous êtes d'où ?
— *Je suis mexicain, de Guayaquil.*
— *Ah... Guayaquil... c'est loin, c'est très loin... Et qu'est-ce que vous faites ?*
Vous êtes étudiant ?
— *Oui, et vous, vous êtes d'où ? Vous n'êtes pas français ?*
— *Non, moi je suis allemand, de Hambourg. Ce n'est pas aussi loin que...*
heu... Guayaquil... et je suis étudiant moi aussi.
— *Ah, c'est sympa ça...*
— *Oui... vous parlez bien français... Évidemment, pour vous, le*
français, c'est facile... L'espagnol et le français sont des langues
latines.
— *Oh, ce n'est pas très difficile. C'est plus difficile pour vous*
peut-être...
— *Oui, pour moi, c'est assez compliqué. Dites, je*
vais à l'université, maintenant. Et vous,
vous allez à l'hôtel ?
— *Oui, j'y vais... A ce soir peut-être ?*
— *D'accord, à ce soir !*

(à suivre)

75

LEÇON 13

TOUS LES JOURS

1. Jacques est ouvrier. Il travaille dans une usine. Il y va à pied parce que sa maison n'est pas loin de son travail. Il part de la maison le matin à 7 heures et il arrive à l'usine à 7 heures 20. Il y reste jusqu'à 5 heures de l'après-midi. A midi, il rentre à la maison pour manger. Il retourne à l'usine à 2 heures. Le soir, il dîne en famille vers 7 heures et ensuite il regarde la télévision. Il se couche vers 10 heures du soir. Il ne travaille ni le samedi après-midi ni le dimanche.

2. Madame, vous avez une fille, elle a 19 ans et elle travaille dans un supermarché. Elle se lève tôt ?
— Oh oui ! Tous les jours, sauf le dimanche, elle se lève à 6 heures et demie. Elle prend son petit déjeuner après sa douche et elle va au travail en bus à 7 heures et demie. Elle y arrive un peu avant 8 heures.
— Elle rentre déjeuner à midi ?
— Non, elle préfère rester à la cantine et elle rentre à la maison vers 6 heures et demie. Elle regarde la télévision jusqu'à 8 heures. Elle ne lit jamais. A 8 heures, on dîne. Elle se couche tôt le soir : vers 9 heures et demie, sauf le samedi soir.

3. Gaston travaille dans un bureau. Tous les matins, il arrive en retard. L'après-midi, il part du bureau avant ses camarades de travail. A midi, il mange au restaurant parce qu'il n'aime pas la cantine. Il se couche très tard le soir parce qu'il regarde tous les programmes de télévision. Il n'a pas le temps de dormir chez lui ; alors il dort au bureau : il n'y travaille pas beaucoup... Il lit le journal !

P STATIONNEMENT
PAYANT

de 9h à 19h sauf Samedis
Dimanches et Jours Fériés

Stationnement Résidentiel Autoris

PRENEZ UN TICKET
AU DISTRIBUTEUR ⬇

Les gens, à Paris, ont toujours peur d'être en retard : ils se dépêchent pour aller au travail et ils se dépêchent pour rentrer à la maison. Ils n'ont jamais le temps de vivre. Ils partent très tôt le matin... ils prennent le train, le bus, le métro. Ils travaillent jusqu'à 6 ou 7 heures du soir. En général, les gens rentrent à la maison pour manger, regarder la télévision et dormir... tous les soirs, du lundi au samedi : métro, boulot, dodo. Ce n'est pas très amusant...

77

lundi /lɛ̃di/ - mardi /mardi/ - mercredi /mɛrkrədi/ - jeudi /ʒødi/ - vendredi /vãdrədi/ - samedi /samdi/ - dimanche /dimãʃ/

Bonjour, Lundi !
Comment va Mardi ?
Très bien Mercredi.

Dites à Jeudi
De venir Vendredi
Voir Madame Samedi
Chez Monsieur Dimanche.

Gammes

■ conjugaisons

lire	**partir**	**dormir**
Je lis /li/	Je pars /par/	Je dors /dɔr/
Tu lis /li/	Tu pars /par/	Tu dors /dɔr/
Il/elle lit /li/	Il/elle part /par/	Il/elle dort /dɔr/
Nous lisons /lizõ/	Nous partons /partõ/	Nous dormons /dɔrmõ/
Vous lisez /lise/	Vous partez /parte/	Vous dormez /dɔrme/
Ils lisent /liz/	Ils partent /part/	Ils dorment /dɔrm/

vivre	**se dépêcher**	**se lever**
Je vis /vi/	Je me dépêche /depɛʃ/	Je me lève /lɛv/
Vous vivez /vive/	Vous vous dépêchez /depeʃe/	Vous vous levez /ləve/
Ils vivent/viv/	Ils se dépêchent /depɛʃ/	Ils se lèvent /lɛv/

■ il est quelle heure ?

12 : 00	00 : 00
il est midi	il est minuit

13 : 00	01 : 00	09 : 00	21 : 00
il est une heure (de l'après-midi)	il est une heure (du matin)	il est 9 heures (du matin)	il est 9 heures (du soir)

14 : 00	14 : 05	14 : 15	14 : 20
il est deux heures (de l'après-midi)	deux heures cinq	deux heures et quart	deux heures vingt

14 : 30	14 : 35	14 : 45	14 : 55
deux heures et demie /edmi/	trois heures moins vingt-cinq	trois heures moins le quart /mwɛ̃lkar/	trois heures moins cinq /trwazœrmwɛ̃sɛ̃k/

■ **avant, après, vers...**

Avant 7 heures, après 6 heures.
Vers 6 heures et demie.
A 6 heures vingt.

■ **tôt — tard**

Il se lève tôt.   Il arrive en avance au travail.
Il se lève tard.   Il arrive en retard au travail.

■ **de/à — jusqu'à**

Je pars **à** 7 heures du matin. Je rentre **à** 5 heures de l'après-midi.
Mon père travaille en général **de** 8 h **à** midi, et **de** 2 h **à** 6 h ;
le samedi, il reste à l'usine **jusqu'à** 8 heures du soir.

■ **tout le - toute la - tous les - toutes les**

Tout le temps. Toute la journée.   Tous les matins. Toutes les nuits.

■ **jamais**

Ce soir, je **ne** regarde **pas** la télévision, je n'ai pas le temps.
Je **ne** regarde **jamais** la télévision : je n'aime pas ça.
Je **ne** mange **jamais** à la cantine : je préfère manger chez moi !

■ **au - à l' - à la - aux // du - de l' - de la - des**

Le bureau ———→   Elle arrive **au** bureau à 8 heures.
                 Elle part **du** bureau à midi.
L'usine ———→   Il arrive **à l'**usine à 7 heures.
                Il part **de l'**usine à 5 heures.
La gare ———→   Elles arrivent **à la** gare à 10 heures.
                Elles partent **de la** gare à 11 heures.

Etudes

1. — *Quelle heure est-il ?/Il est quelle heure ?*
06 : 00 — Il est 6 heures du matin.   06 : 00 → 18 : 00   09 : 15   21 : 15
                                                       06 : 30   00 : 20   23 : 55

2. « *Le vol AF 797 part à 7 heures 20*
et arrive à 8 heures 30. »   *AF 797 →* SK 132, KL 330, UT 124

VOL	AF 797	AT 826	JU 092	SK 132	UT 124	AZ 062	IB 430
DÉPART	07.20	07.45	08.00	08.45	10.05	10.35	11.10
ARRIVÉE	08.30	09.40	09.55	12.50	16.00	12.25	13.15

L'agenda de Delphine

Présentez l'emploi du temps de Delphine cette semaine

Lundi, elle va au lycée en bus. Elle travaille de 8 heures à 16 heures. Elle est chez Philippe de 18 heures à 19 heures...

Continuez

LUNDI **13** Ste Lucie	Bus } école	} école }chez philippe travailler
MARDI **14** Ste Odile	bus } école	} école } maison une surprise partie chez Annie !
MERCREDI **15** Ste Ninon	pas d'école !	pas d'école cinéma
JEUDI **16** Ste Alice	pas de bus / à pied } école	} école } travail
VENDREDI **17** St Gael	bus } école } maison (déjeuner)	} école supermarché avec papa travail
SAMEDI **18** St Gatien	bus } école	LIBRE ! chez Serge
DIMANCHE **19** St Urbain	dormir jusqu'à 10 heures	le soir cinéma / à bicyclette.

Et toi, quel est ton emploi du temps cette semaine ?

ENQUÊTE - LA JOURNÉE TYPE DE... *Présentez la journée type de ces personnes*

Nom et profession	Se lever à	Arriver au travail à	Déjeuner	Rentrer chez lui/elle	Après le dîner	Se coucher vers
Jean Gibain *Ingénieur*	07 h 00	08 h 30	Restaurant	17 h 30	Journal	23 h 00
Cécile Béranger *Secrétaire*	08 h 00	09 h 00	Cantine	18 h 00	Télévision	22 h 00
Yves Linard *Photographe*	08 h 00	09 h 30	Domicile	20 h 00	Copains Travail	23 h 30
Solange Rigaud *Médecin*	09 h 00	10 h 00	Hôpital	19 h 30	Journal Télévision	23 h 00
Anabelle Banois *Ouvrière*	06 h 30	08 h 00	Cantine	19 h 00	Famille Télévision	22 h 30
Gilles Lobrot *Architecte*	07 h 30	09 h 00	Restaurant	18 h 30	Cinéma Copains	23 h 00

Jean Gibain.
Qu'est-ce qu'il fait ?
Il se lève à quelle heure ?
Il arrive au travail... ?

. . . .

Et Cécile Béranger ?
Et Yves... ?

Continuez

INTERVIEW — Vous êtes interrogé(e) par Émilie Aymard

Répondez à ces questions

— Émilie Aymard : « Bonjour, je suis journaliste à France-Matin. Ton père, qu'est-ce qu'il fait ?

— ....

— E. A. : — Ah oui ? Où ?

— ....

— E. A. : — A quelle heure il se lève ?

— ....

— E. A. : — Il se couche à quelle heure, alors ?

— ....

— E. A. : — Oh là là ! Il travaille beaucoup, ton père ! Qu'est-ce qu'il fait le soir après le dîner ?

— ....

— E. A. : — Ah ? Et toi ? Qu'est-ce que tu fais le soir ?

— ....

— E. A. : — Bon ! eh bien, au revoir et merci !

Parlez de la journée d'un/d'une

1) journaliste.
2) P.D.G.
3) secrétaire.
4) infirmier(ière).
5) garçon de café/serveur(euse).
6) agent de police.
7) danseur(euse).
8) chanteur(euse).
9) étudiant(e)
10) agriculteur(trice).

Parlez de votre journée

Vous vous levez à quelle heure ?
Vous vous couchez à quelle heure ?
Qu'est-ce que vous faites le soir ?

RENCONTRE (suite et fin)

« Et voilà, je suis allemand. Je suis étudiant à Grenoble, j'apprends le français et je suis à l'hôtel du Parc... J'aime avoir des amis, j'ai beaucoup d'amis (et d'amies aussi) à Hambourg. Ici, je suis seul. Aujourd'hui, je rencontre un Mexicain sympa, un Mexicain qui parle français. Il est grand, sportif et il s'appelle... il s'appelle... je ne sais pas. Peut-être Pedro ou Luis... Oui, mais « mon » Mexicain n'est pas très mexicain. C'est curieux : il parle français, il parle très bien français. Il n'est pas brun, il n'est pas petit, il n'a pas de guitare. Il n'est peut-être pas mexicain ? Bof ! moi, je suis petit et brun et je suis allemand... Pour les Français, tous les Allemands sont grands, blonds et sportifs... Il est de Guayaquil... Guayaquil ? C'est une ville du Mexique, ça ? »

Il est 8 heures du soir. A l'hôtel du Parc, les clients regardent la télévision. Dieter Schwartz voit dans l'entrée l'étudiant mexicain. Le Mexicain discute avec la réceptionniste (elle est jeune et jolie).

« — Bonsoir.
— Oh ! c'est vous ? Alors, vous avez une chambre ici ?
— Oui, oui, j'ai une chambre, merci.
— C'est très bien.
— Euh... je me présente, je m'appelle Dieter Schwartz, et vous ?
— Moi, je m'appelle José, José Legrand... Mais dans mon pays, on se dit « tu », et puis, entre étudiants du même âge, c'est plus facile, non ?
— D'accord... Mais vous, pardon, tu es mexicain et tu t'appelles Legrand ?
— Oui, tu comprends : ma famille est d'origine française... Mais je ne suis pas mexicain. Je suis équatorien... Eh oui, l'Équateur, ça n'existe pas pour les Européens. Ils ne sont pas très forts en géographie ! Pour tout le monde ici, je suis mexicain, parce que, où est Guayaquil ? Ça existe, Guayaquil ?
— Ah ! Ah ! Ah ! Moi, j'ai une grand-mère française : elle s'appelle Marie Schneider...
— Schneider ? Ce n'est pas un nom allemand ça ?
— Si, mais c'est aussi un nom français : ma grand-mère est alsacienne.
— Ah, je comprends ! Alors, ça fait un Allemand alsacien et un Mexicain français et équatorien ! Nous sommes internationaux ! Dis, on peut aller prendre un café ?
— D'accord, José l'international ! »

DRING!

DOCTEUR, ÇA NE VA PAS... JE SUIS VRAIMENT MALADE!

QU'EST CE QUE VOUS AVEZ?

OH, J'AI MAL AU VENTRE, J'AI MAL À LA TÊTE AUSSI...

VOUS AVEZ DE LA FIÈVRE?

NON, MAIS J'AI FROID ET J'AI CHAUD...

AH AH! ET VOUS FUMEZ!

OUI, JE FUME BEAUCOUP, J'AI TOUJOURS ENVIE DE FUMER!...

VOUS FUMEZ TROP! IL FAUT ARRÊTER DE FUMER, C'EST DANGEREUX POUR LA SANTÉ!

JE NE SUIS PAS EN FORME TU SAIS...

QU'EST CE QUE TU AS? TU AS UN RHUME?

METRO

JE NE SAIS PAS... MAIS JE SUIS VRAIMENT FATIGUÉE...

ALORS IL FAUT APPELER UN MÉDECIN!

MAIS NON! JE N'AI PAS DE FIÈVRE... SEULEMENT 36°5.

MAIS CE N'EST PAS ASSEZ ÇA! IL FAUT RESTER AU LIT ET TE REPOSER!

NON, NON, JE N'AI PAS SOMMEIL, JE NE PEUX PAS DORMIR...

TU MANGES BIEN?

NON, JE N'AI JAMAIS FAIM, MAIS J'AI TOUJOURS SOIF!

MAIS TU NE PEUX PAS RESTER COMME ÇA!

BOF! POURQUOI PAS?

JE NE ME SENS VRAIMENT PAS BIEN DOCTEUR...

DOCTEUR LANGLOIS MÉDECINE GÉNÉRALE

DEPUIS COMBIEN DE TEMPS?

OH! DEPUIS DEUX OU TROIS JOURS SEULEMENT...

VOUS AVEZ DE LA FIÈVRE?

NON, JE N'AI PAS DE FIÈVRE NON, MAIS J'AI TRÈS MAL AU VENTRE!

Ça va ? Ça va !

Ça ne va pas ? Non, ça ne va pas !

Ça ne va vraiment pas ? Non, ça ne va vraiment pas !

Qu'est-ce que tu as ? Tu as un rhume ?

Qu'est-ce que vous avez ? Vous avez la grippe ?

Gammes

■ conjugaison

boire	**pouvoir**	**se reposer**	**se sentir**
Je bois.	Je peux.	Je me repose.	Je me sens...
Vous buvez.	Vous pouvez.	Vous vous reposez.	Vous vous sentez...
Ils boivent.	Ils peuvent.	Ils se reposent.	Ils se sentent...

■ avoir froid / chaud / ...

j'ai froid / chaud / faim / soif / sommeil / peur...

j'ai sommeil	= j'ai envie de dormir
j'ai soif	= j'ai envie de boire
j'ai faim	= j'ai envie de manger

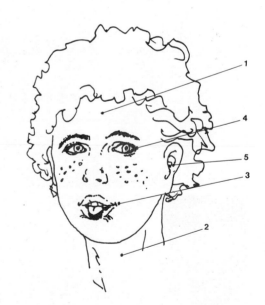

■ avoir mal...

au ventre, au dos
à la tête, à la gorge
aux dents, aux yeux...

(1) la tête, la gorge (2)
(3) les dents, (la dent)
(4) les yeux, (l'œil)
(5) les oreilles, (l'oreille)
     le ventre, le dos...

■ depuis combien de temps ?

— Vous êtes malade depuis combien de temps ?
— Je suis malade depuis une semaine.
Elle apprend le français depuis trois mois.
Ils habitent Paris depuis dix ans.

depuis une semaine
un mois
deux ans...

Mon père travaille dans une usine depuis 1965.
Il se lève à 6 heures, tous les jours, depuis 15 ans.

depuis hier
deux jours
20 minutes...

■ qu'est-ce qu'il faut faire ?

Il faut dormir.
Il faut arrêter de fumer.
Il ne faut pas boire.
Il faut téléphoner au médecin.

■ beaucoup, trop, assez...

Il fume **beaucoup**.
Il fume **trop**.
Il fume **beaucoup trop**.

Il ne mange **pas assez**.
Il ne mange **pas beaucoup**.
Il ne mange **pas du tout**.

Études

1. — *J'ai sommeil !*
   — *Il faut dormir.*

J'ai sommeil → J'ai faim,
j'ai soif,
j'ai de la fièvre,
j'ai froid,
j'ai la grippe.

2. — *Docteur, j'ai mal à la tête !*
   — *Vous buvez trop, il faut arrêter de boire.*

la tête → le ventre, les dents, le dos...

3. — *Qu'est-ce que tu as ?*
   — *Je me sens mal, je suis malade,*
   je me repose.

tu → il/elle — vous — ils/elles

4. *Pour aller de Paris à Marseille,*
il faut passer par Lyon.

Paris/Marseille → Paris/Brest — Lyon/Limoges.
Marseille/Toulouse — Paris/Nantes.

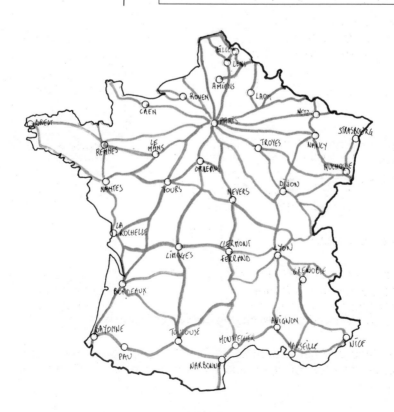

Faites-les parler

Une bonne grippe

Vous êtes le médecin

Répondez à la mère de Jérôme

— *Docteur, mon fils a très mal à la tête...*

— . . . .

— *Depuis ce matin.*

— . . . .

— *Non, seulement 37,2.*

— . . . .

— *Oui, mais depuis hier, il ne peut plus dormir. Qu'est-ce qu'il faut faire ?*

— . . . .

— *Quel médicament ?*

— *Voilà l'ordonnance. Il faut...*

Continuez

Docteur F. Julliard
- Médecine générale -
Maison médicale
Avenue des Alliés
83240 CAVALAIRE
–
tél : 64.05.75

le 23.07.12

1 comprimé d'Antigrippine
3 fois par jour pendant
5 jours.

88

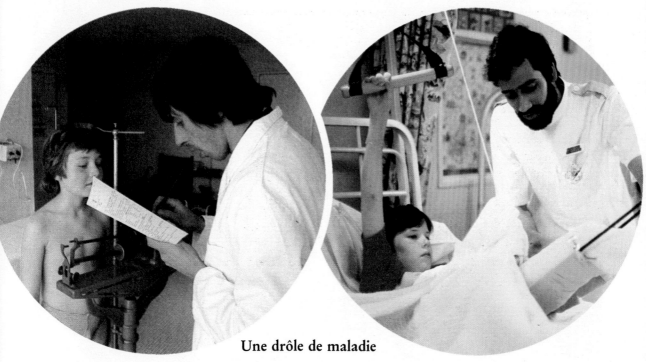

Une drôle de maladie

Faites-les parler

— *Bonjour Docteur,*
— *Bonjour, qu'est-ce que vous avez ?*

Continuez

Et toi, ça va ?
Tu te sens bien ?
Tu es malade ?
Tu as mal où ?
Tu manges bien ?
Tu dors bien ?

(à suivre)

Vous pouvez aller plus vite ?   Vous pouvez répéter ?
Allez plus vite !   Vous pouvez répéter, s'il vous plaît ?
Vous pouvez aller plus vite !   Répétez, s'il vous plaît !

Gammes

■ conjugaison : l'impératif

parler

Je parle	□	**être** → sois ! soyons ! soyez !
Tu parles →	Parle	**faire** → fais ! faisons ! faites !
Il/Elle parle	□	**venir** → viens ! venons ! venez !
Nous parlons →	Parlons	**prendre** → prends ! prenons ! prenez !
Vous parlez →	Parlez	**aller** → va ! allons ! allez !
Ils/Elles parlent	□	

■ entrez — non, n'entrez pas

Je pars → Pars ! Non, ne pars pas !
On y va → Allez-y ! N'y allez pas !

■ rapide → rapidement

adjectif   **adverbe**

Il est rapide — Il travaille rapidement.

m. rapide
f.   rapide ⟶ rapidement
m. exact
f.   exacte ⟶ exactement
m. immédiat
f.   immédiate ⟶ immédiatement
m. parfait
f.   parfaite ⟶ parfaitement

Ne fumez pas n'enfumez plus

Sans tabac prenons la vie à pleins poumons.

■ pour dire au revoir

— Bon, au revoir !   — A demain !   — Bonsoir !
— Allez, au revoir !   — A bientôt !   — Bonne journée !
— Salut, hein !   — A tout à l'heure !   — Bonne soirée !
— Allez, salut !   — A un de ces jours !   — Bonne nuit !
     — A tout de suite !

1. — Jacques, il faut sortir.
— Allez, sors immédiatement !
Paul et Marie, il faut aussi sortir.
— Allez, sortez immédiatement !

> sortir → manger, dormir, partir, venir...

2. — Vous vous appelez comment ?
— DUVAL.
— Vous pouvez épeler ?
— D.U.V.A.L.

> vous → tu
> DUVAL → MARTIN, LEGRAND, RICHARD...

3. — Je prends mon vélo ou une moto ?
— Prends ton vélo !

> mon vélo → le train/l'avion
> /une moto   tes disques/tes cassettes
>   sa valise/son cartable
>   mes livres/mes B.D.

4. — Entrons !
— Non, n'entrez pas !

> entrer → sortir, fumer, manger, boire.

VARIATIONS

« Orientation » *Faites-les parler :*
La Tour Eiffel ? Tournez à gauche...

« La leçon de gymnastique »

Levez les ....!
Pliez les ....!
Couchez-vous!

Continuez

« L'agent de police »

Faites-le parler

Au téléphone

A. *Allô, le 86.34.23*

— ....

— *Je peux parler à...*

— ....

— *De la part de...*

— ....

B. *Allô, Monsieur Charrier ?*

— ....

— *Bon, je rappelle à 8 heures*

— ....

— *De la part de...*

— .... *Dialoguez avec votre voisin(e)*

Aimez-vous les chiens ?

Eugène Galopin est agent de police à Paris depuis vingt-cinq ans. Il est grand, gros, très tranquille, très sérieux. Il se sent bien dans son uniforme bleu. Il aime les rues propres et déteste les chiens. Les chiens sont très sales et il y a trop de chiens en France.

Dans sa rue, il n'y a qu'un chien ! Mais malheureusement, c'est le chien de ses voisins, les Donnadieu. Les Donnadieu sont assez sympathiques. Ils n'ont pas d'enfants, mais ils ont un chien et ce chien est dangereux. Sur leur porte, on peut lire : *« Attention ! Chien* **très** *méchant !* **n'approchez pas !** »
Dans la rue, tout le monde a peur du chien des Donnadieu. Heureusement, Fifi — c'est son nom — ne va jamais dans la rue : les Donnadieu parlent souvent de Fifi, mais on ne voit jamais Fifi !
Les Donnadieu habitent depuis trente ans au n° 11 de la rue Pierre-Curie. M. Donnadieu travaille dans une agence de voyages et sa femme est vendeuse dans un grand magasin. Tous les deux partent au travail à 7 heures et demie du matin... et Fifi reste seul à la maison jusqu'au soir : ce n'est pas vraiment amusant pour un chien nerveux comme Fifi !
Le soir, on entend les Donnadieu dire à Fifi :
« ... Sois gentil Fifi...
Couche-toi, Fifi...
Fais le beau, Fifi. »

(à suivre)

97

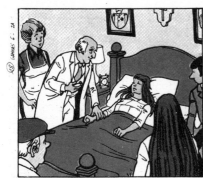

C'EST GRAVE DOCTEUR?

OUI C'EST GRAVE...

C'EST MÊME TRÈS GRAVE! VENEZ TOUS...

NON PAS TOI, ROGER!! TU RESTES AVEC ODILE...

MAIS DOCTEUR, EST CE QU'IL Y A UN MÉDICAMENT POUR ODILE?

OUI, LE MÉDICAMENT C'EST ROGER!!

ÇA VA MIEUX ODILE?

OH OUI!! ÇA VA MÊME TRÈS BIEN...

A LA SANTÉ DE LA MALADE!

A LA SANTÉ D'ODILE!

TU NE BOIS PAS ODILE?

NON, JE NE BOIS PAS...

A LA SANTÉ D'ODILE!!

COT COT COT COT

AH! MERCI MA PETITE POULE!!

JE NE SUIS PLUS UN GAMMA!! JE N'AI PLUS LA MAGIE GAMMA...

NOUS POUVONS PARTIR!!! VIENS, ADRIEN!!

JE NE VEUX PAS PARTIR!

JE VEUX RESTER AVEC ROGER!!

TU VEUX RESTER AVEC ODILE? OH OUI!!

ALORS, VIENS AVEC NOUS!

AU REVOIR MES AMIS AU REVOIR PAPA AU REVOIR MAMAN...

LEÇON 16

1. — On voudrait voir des pulls, s'il vous plaît.
   — C'est pour vous ?
   — Non, ce n'est pas pour moi, c'est pour lui !
   — Quelle couleur vous préférez ?
   — C'est le jaune le plus joli.
   — Ah non ! Moi je préfère le rouge... C'est le mieux.

2. — Il te va ? Il te plaît ?
   — Il est trop long, non ?
   — Mais non, c'est à la mode ; plus c'est long, plus c'est à la mode.
   — Bon, alors c'est trop à la mode pour moi ! Il coûte combien ?
     120 F ! Oh là là, c'est très cher, c'est trop cher pour moi !
   — Il faut acheter aussi un cadeau !
   — Pour qui ?
   — Pour mon père.
   — Prends-lui une cravate !
   — Oui, c'est une bonne idée.

3. — Je voudrais une cravate, s'il vous plaît.
   — De quelle couleur ?
   — Bof ! Je ne sais pas...
   — Voilà une cravate bleue à 80 F et une autre jaune à 150 F.
   — Je prends la moins chère des deux.
   — Très bien, monsieur... Tenez.

4. — Sylvie, regarde le raisin !
   — Il est bon, on dirait.
   — Il coûte combien ?
   — 25 F le kilo. Le noir est moins cher : 23 F, et il est meilleur.
   — Et les pommes ?
   — Elles ne coûtent que 9 F, mais je n'ai pas envie de pommes.
   — Tu n'aimes pas les pommes vertes ?
   — Pas tellement.

5. — On achète des gâteaux pour les garçons ?
   — Ah non, pas pour eux, seulement pour nous !
   — On peut avoir des gâteaux, s'il vous plaît, et 100 gr de bonbons ?
   — Et puis aussi une bouteille de jus d'orange.

" ÇA TE PLAIT ? "

POÉSIE

/wa/	/ɥi/	/wi/
moi	nuit	Louis
toi	pluie	Louise
soi	minuit	oui

Il fait froid.
Voilà le soir.
Il fait nuit.
Voilà la pluie.

Il fait noir.
Il fait nuit.
Il fait nuit noire sur Paris.
Il pense à toi.
Tu penses à lui.

Gammes

■ **les superlatifs**

Il y a un pantalon gris à 100 F, un pantalon bleu à 150 F et un blanc à 200 F.
Le pantalon blanc est **plus** cher **que** le pantalon gris et **que** le pantalon bleu.
Le pantalon gris est **moins** cher **que** le bleu et le blanc.
Le pantalon blanc est **le plus** cher. Le gris, c'est **le moins** cher.

bien ⟶ **mieux** ⟶ **le mieux** !
bon ⟶ **meilleur** ⟶ **le meilleur** !

■ **les couleurs**

	♂		♀	
marron	/marõ/	marron	/marõ/	un pull rouge
orange	/ɔrãʒ/	orange	/ɔrãʒ/	une robe rouge
rouge	/ruʒ/	rouge	/ruʒ/	un pantalon gris
jaune	/ʒon/	jaune	/ʒon/	une jupe grise
bleu	/blø/	bleue	/blø/	
noir	/nwar/	noire	/nwar/	
gris	/gri/	grise	/griz/	
violet	/vjɔlɛ/	violette	/vjɔlɛt/	
vert	/vɛr/	verte	/vɛrt/	
blanc	/blã/	blanche	/blãʃ/	

■ **l'argent**

BILLETS DE BANQUE FRANÇAIS
FRENCH BANK NOTES
FRANZÖSISCHE BANKNOTEN
BIGLIETTI DI BANCA FRANCESI
BILLETES DE BANCO FRANCESES

■ les mesures

1 g = un gramme
100 g, 200 g = cent grammes, deux cents...
500 g = cinq cents grammes/une livre
1 kg, 2 kg = un kilo (gramme), deux kilos...
1,5 kg = un kilo et demi
1 cl = un centilitre
1 l, 2 l = un litre, deux litres...

Cent grammes de chocolat
une livre de beurre
deux kilos d'oranges
un kilo et demi de raisins
une bouteille de vin
deux litres de lait

■ pour demander quelque chose **(dans un magasin)**

Vous demandez :

Je voudrais... s'il vous plaît.
Vous pouvez me montrer... ?
Vous avez... s'il vous plaît ?
Vous avez autre chose ?
Quelque chose de moins cher ?
Ça coûte combien ?
Il/Elle fait combien ?

On vous demande :

Vous désirez ?
Qu'est-ce que vous voulez ?
Qu'est-ce que tu veux ?
Et pour vous, monsieur/madame ?
Et pour toi ?
Autre chose ?
C'est tout ?
Et avec ça ?

■ moi, toi...

je ⟶ pour **moi**		on/nous ⟶ pour **nous**	
tu ⟶ pour **toi**		vous ⟶ pour **vous**	
il ⟶ pour **lui**		ils ⟶ pour **eux**	
elle ⟶ pour **elle**		elles ⟶ pour **elles**	

Études

1. — *Je voudrais une jupe pour moi.*
   — *La verte ?*
   — *Non, la rouge. Elle coûte combien ?*
   — *200 F. Mais la verte est moins chère.*

jupe, verte/rouge, 200 F, moins chère
→ pantalon marron/gris 180 F, plus joli
→ pull jaune/bleu, 175 F, moins chaud

2. *Le Liechtenstein est petit ?* — *Oui, c'est le plus petit pays d'Europe (160 km^2).*
Ce disque est vieux ? — *Non, c'est le moins vieux de ma collection.*
L'URSS est grande ? — Oui, ... du monde (22 274 900 km^2).
Le mois de juillet est chaud en France ? — Oui, c'est le mois .... de l'année.
Le mont Blanc est haut ? — Oui, c'est la .... montagne de France (4807 m).
Ta robe est chère ? — Non, ... du magasin.
Ce film est amusant ? — Non, ... des films de cette année.
Il est sympa, ton ami ? — Oui, ... de mes amis.
Tu es sportif ? — Non, je suis .... de la classe.

A l'épicerie

— *Je voudrais 500 g de café.*
— *Voilà, et avec ça ?*

Continuez

Au marché
Moi, j'aime les bananes, mais je préfère les oranges.

Dialoguez avec votre voisin(e)

rapporter :

- café (500g)
- lait (2 l)
- pain (2)
- sel (1 p.)
- oranges (2 kg)
- eau minérale (2 b)
- fromage (1 camembert - 1 brie)
- chocolat au lait (250 g)

Une famille française
— Qu'est-ce qu'elle mange et qu'est-ce qu'elle boit en une semaine ?
— Compare avec la consommation de ta famille.
(Ex. : « *nous, on mange moins de pain*. »)
Aujourd'hui, tu vas faire des courses.
Qu'est-ce que tu rapportes à la maison ?
Combien ça coûte ?
Qu'est-ce que tu aimes/préfères ?

Une famille française de 4 personnes achète pour une semaine :

eau minerale	: 5 b
vin	: 2 b
viande (bifteck : 1,5 kg) poulet)	
poisson	: 1 kg
œufs	: 2 b
pain	: 4 kg
pommes de terre	: 3 kg
fruits	: 2,5 kg
légumes	: 3 kg

Quels sont tes vêtements préférés ?

Je préfère les vêtements chics, très élégants, très chers : les costumes, les belles cravates...
Mais j'achète les vêtements les plus pratiques, les plus confortables, les moins chers.

Dans le catalogue, il y a seulement des trucs à la mode, assez chers.

Une idée de cadeau.
— Cherche une idée de cadeau pour un copain, une copine,...
— Cherche un cadeau pour ton père, 45 ans, genre très classique.

(C'est sympa, c'est trop à la mode, c'est très classique, pas assez élégant, c'est trop cher, il ne va pas aimer ça, ça me plaît mais..., il préfère..., etc.)

LEÇON 17 LE CERCLE NOIR (5e épisode)

GENÈVE...

VOUS VENEZ D'OÙ ?

JE VIENS DE ROME.

ET VOUS ÊTES PARTIE DE ROME IL Y A COMBIEN DE TEMPS ?

JE N'AI PAS COMPRIS... VOUS POUVEZ RÉPÉTER ?

VOUS ÊTES PARTIE DEPUIS COMBIEN DE TEMPS ?

JE N'AI TOUJOURS PAS COMPRIS QU'EST-CE QUE ÇA VEUT DIRE IL Y A COMBIEN DE TEMPS ?

ÇA VEUT DIRE HEU... VOUS ÊTES PARTIE IL Y A 2 JOURS IL Y A UNE SEMAINE ?...

AH! JE SUIS PARTIE, IL Y A 9 JOURS... LUNDI DERNIER.

ET C'EST LA PREMIÈRE FOIS QUE VOUS VENEZ EN SUISSE ?

NON,... JE SUIS DÉJÀ VENUE ICI L'AN DERNIER.

VOUS FAITES DU TOURISME ?

NON, JE SUIS VENU ICI POUR MON TRAVAIL, JE SUIS PHOTOGRAPHE...

ET C'EST LA PREMIÈRE FOIS QUE VOUS VENEZ ICI ?

OH NON! JE VIENS PRESQUE UNE FOIS PAR MOIS... PLUS EXACTEMENT TOUTES LES TROIS SEMAINES...

MOI AUSSI JE VIENS ASSEZ SOUVENT ICI, TOUS LES DEUX MOIS, VOUS RESTEZ COMBIEN DE TEMPS ?

DEUX JOURS SEULEMENT, JE SUIS ARRIVÉ HIER MATIN, JE REPARS CE SOIR, ET VOUS ?

MOI, JE SUIS ARRIVÉ LE 29 MAI, IL Y A 4 JOURS DONC, ET JE REPARS LE 5 JUIN...

VOUS VOYAGEZ EN VOITURE ?

NON, C'EST TROP LONG, JE PRÉFÈRE L'AVION... ET MES VALISES NE SONT PAS TRÈS LOURDES DONC, PAS DE PROBLÈMES...

②

(fin provisoire)

Vous pouvez répéter ?   Je n'ai pas compris !
Qu'est-ce que ça veut dire ?   Je ne comprends pas bien !

[o]   [ɔ]
Cône   Rome
Un mot   Un problème
Un hôtel   Une école

Gammes

■ le passé composé

hier, je me **suis** trompé et j'**ai** attendu

1. avec **être** : quelques verbes :
— arriver, rester, partir, rentrer, aller, venir, passer.
Ex. : ils sont allés à Lausanne. Vous êtes venue chez moi.
— se tromper, se coucher, se laver, se reposer, se promener, se dépêcher.
Ex. : je me suis trompé. Tu t'es couché. Vous vous êtes lavés.

2. avec **avoir** : tous les autres verbes.

3. **Être** → j'ai **été**   **Avoir** → j'ai **eu** /y/   **Faire** → j'ai **fait** /fe/

4. verbes en **er :** → **é.** Ex. : j'ai cherché, ils ont mangé, tu as parlé...

Dormir	**Partir**	**Sentir**	**Attendre**
je dors	je pars	je sens	j'attends
vous dormez	vous partez	vous sentez	vous attendez
dormi	**parti**	**senti**	**attendu**
Dire	**Lire**	**Écrire**	**Permettre**
je dis	je lis	j'écris	je permets
vous dites	vous lisez	vous écrivez	vous permettez
dit	**lu**	**écrit**	**permis**
Connaître	**Venir**	**Tenir**	**Prendre**
je connais	je viens	je tiens	je prends
vous connaissez	vous venez	vous tenez	vous prenez
connu	**venu**	**tenu**	**pris**
Voir	**Savoir**	**Vouloir**	**Pouvoir**
je vois	je sais	je veux	je peux
vous voyez	vous savez	vous voulez	vous pouvez
vu	**su**	**voulu**	**pu**

■ quand ? il y a combien de temps ?

1. La date :

La semaine dernière							Cette semaine							la sem. prochaine	
lun.	mar.	mer.	jeu.	ven.	sam.	dim.	lun.	mar.	mer.	jeu.	ven.	sam.	dim.	lun.	mar.
18	19	20	21	22	23	24	25	26	27	28	29	30	31	1	2

il y a   il y a   il y a   lundi   il y a avant- hier au-   de- lundi dans
15 j.   10 j.   1 sem.   der-   3 j.   hier   jour-   main pro-   2 j.
                                    nier   d'hui   chain

Ce matin Ce soir

2. Des dates à retenir : les fêtes de l'année en 1984 :

Jour de l'An	Dimanche **1er janvier**	**Pentecôte**	Dimanche **10 juin**
Mardi Gras	Mardi **6 mars**	**Fête Nationale**	Samedi **14 juillet**
Pâques	Dimanche **22 avril**	**Assomption**	Mercredi **15 août**
Fête du Travail	Mardi **1er mai**	**Toussaint**	Jeudi **1er novembre**
Armistice 1945	Mardi **8 mai**	**Fête de la Victoire**	Dimanche **11 novembre**
Fête des Mères	Dimanche **27 mai**	**Noël**	Mardi **25 décembre**
Ascension	Jeudi **31 mai**		

3. La fréquence

Tous les ans (1 fois par an). Tous les mois (1 fois par mois).
Tous les 15 jours (2 fois par mois). Toutes les 5 mn (12 fois par heure).

■ je n'ai pas compris

Vous ne comprenez pas ⟶ Pardon ?/Qu'est-ce que vous dites ?/
Quoi ?/Je ne comprends pas.

Vous comprenez mal ⟶ Vous pouvez répéter, s'il vous plaît ?/
Parlez lentement, s'il vous plait.

Vous ne savez pas un mot ⟶ Comment on dit « ... » en français ?
(J'ai oublié.)

Vous ne comprenez pas un mot→ Qu'est-ce que ça veut dire « ... » ?

Études

1. Histoire
— Quelle est la date d'aujourd'hui ?
(2-01-1984)
— C'est le deux janvier mille neuf
cent quatre-vingt-quatre.

02-01-84 → 08-03/81 — 12-03/1456 —
01-01/1111 — 01-01/2000 09-04/1988 — 14-07/1789

2. *Mathématiques :*
— *12 fois par heure, ça fait combien ?*
— *Ça fait toutes les 5 minutes, 288 fois par jour.*
— *Une fois par jour, ça fait combien ?*
— *Ça fait tous les jours, sept fois par semaine.*

a) 1 fois par mois	d) 1 fois par an	g) 4 fois par heure
b) 4 fois par mois	e) 60 fois par heure	h) 7 fois par semaine
c) 4 fois par an	f) 12 fois par jour	

3. — *Hier, ils sont allés au cinéma.*
   Aujourd'hui, ils sont encore au cinéma.
— *Oui, ils sont passionnés !*

aller au cinéma →	rester au lit, faire la cuisine, visiter un musée,...
passionnés ——→	paresseux, gourmands, malades,...

4. — *Il ne faut pas se promener dans le parc.*
   Et hier, je me suis promené dans le parc.
   Est-ce que je suis fou ?

se promener dans le parc →	manger trop de sucreries, se coucher à 7 heures du matin, chanter toute la nuit...

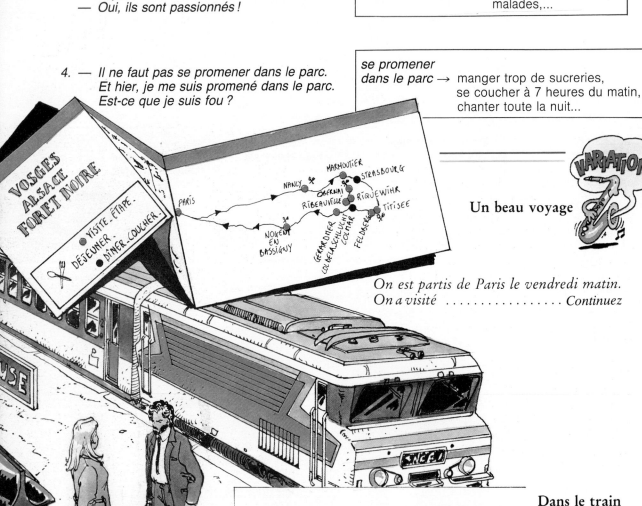

VARIATIONS

Un beau voyage

On est partis de Paris le vendredi matin.
On a visité .... Continuez

Dans le train

Roger va à Paris pour son travail. Maria y va pour visiter la ville ; elle est de Madrid. Ils ne se connaissent pas et se rencontrent devant le train. Maria ne parle pas très bien français.

Imaginez le dialogue
— *Pardon, monsieur, c'est bien le train pour Paris ?*
— *Oui, madame. Vous y allez ?*

Continuez

Jour après jour

Prenez un calendrier.
Posez des questions ou donnez des réponses.

Le 9 janvier, c'est quel jour ?
— C'est un lundi.
Il y a combien de jours en octobre ? . . . .
Le premier dimanche de mai, c'est le
combien ? . . . .

DÉCEMBRE	SAMEDI	JANVIER 1984
L M M J V S D	**31**	L M M J V S D
1 2 3 4		1
5 6 7 8 9 10 11		2 3 4 5 6 7 8
12 13 14 15 16 17 18	DÉCEMBRE	9 10 11 12 13 14 15
19 20 21 22 23 24 25		16 17 18 19 20 21 22
26 27 28 29 30 31		23 24 25 26 27 28 29
		30 31
52ᵉ sem.	Sᵀ SYLVESTRE	365-0

Aimez-vous les chiens ? (suite)

Un soir, l'agent de police Eugène Galopin rentre chez lui plus tard que d'habitude. Il a très envie de dormir : il a travaillé toute la journée. Il a mal aux pieds et aux bras : il a réglé la circulation au carrefour de l'Odéon. Il a vu passer des milliers de voitures, de bicyclettes, de motos et il se sent vraiment très fatigué. Il a sommeil, mais il a aussi faim et soif. Dans la rue Pierre-Curie, presque à côté de chez lui, il y a un petit café. Il est onze heures du soir, mais le café est encore ouvert.

Eugène Galopin décide d'y entrer et il demande un sandwich au jambon avec une bière. Il se sent beaucoup mieux. Le patron et lui se connaissent bien. Il fait chaud dans le café. Tout est tranquille... L'agent de police n'a pas oublié cette soirée et il m'a tout raconté :

« Vous savez, nous avons discuté un peu, le patron et moi... Soudain un homme est entré comme un fou et il a crié : « Venez vite ! Ah, monsieur l'agent, venez vite ! Un accident est arrivé chez les Donnadieu ! »
D'abord, je n'ai pas compris : je lui ai demandé de répéter. Il m'a donné son nom et il m'a dit : « Je suis un ami des Donnadieu et je suis arrivé de Marseille aujourd'hui ».
Je suis donc allé avec lui jusque chez les Donnadieu. Nous sommes entrés dans un petit jardin et ensuite dans la maison... et j'ai vu... »

(A suivre)

LEÇON 18

1. — Est-ce que tu as fait le devoir de maths pour lundi ?
— Pas encore. Je n'ai pas eu le temps, hier. Je vais faire ça ce soir ou demain.
— Pourquoi tu n'as pas eu le temps ?
— Parce que j'ai lu un livre d'histoire. Je sais que les maths c'est important, mais j'aime bien l'histoire : c'est vraiment amusant !
— Mais tu as de meilleures notes en maths qu'en histoire, en général, non ?... Moi, je ne me débrouille pas très bien en maths... Tu as envie de faire les problèmes de maths avec moi ?
— D'accord. Comme ça, on va avoir tout juste, et on va avoir une bonne note tous les deux. Ce soir ?
— D'accord. Tu viens chez moi vers huit heures.

2. — Arthur ! Vous oubliez trop souvent votre livre ! Débrouillez-vous pour ne plus oublier votre livre ! C'est compris ? Et si vous ne travaillez pas maintenant, vous n'allez pas réussir votre examen, l'an prochain !... Ouvrez votre livre à la page 76... Laurent, fermez la fenêtre et écoutez, maintenant ! La récréation est finie !... Jean, vous êtes fatigué ? ... Quels élèves !... Qu'est-ce que vous avez aujourd'hui ? Vous n'avez jamais été aussi « dans la lune » !

3. — Qu'est-ce que tu as après la récréation ?
— J'ai une heure d'étude. Je vais apprendre ma leçon de sciences naturelles.
— Pourquoi ? Tu aimes ça ou tu as un examen ?
— Parce que c'est utile pour moi. Je vais être médecin, plus tard.
— Tu veux être médecin, ou tu vas être médecin ? Tu sais qu'il y a des examens très difficiles ?
— Je sais... Mais je veux être médecin ; et donc, je vais être médecin plus tard, dans 10 ans ! Et toi ?
— Je ne sais pas encore, mais parfois, j'ai envie d'être professeur, parce que j'aime les vacances, les récréations, et aussi les professeurs.
— Tu vas être un drôle de prof !

" QU'EST-CE QUE TU VAS FAIRE ?"

Je n'ai pas eu le temps ———→	j'ai pas eu l'temps.
Tu as envie de faire le problème ?	t'as envie d'faire l'problème ?
Je veux être professeur ———→	j'veux être prof'.
Les mathématiques ———→	les maths.
La géographie ———→	la géo.
La gymnastique ———→	la gym.
Les sciences naturelles ———→	les sciences nat'.
La récréation ———→	la récré.

Gammes

■ **demain, je vais faire...**

j'ai fait...	je vais faire...
Il y a 6 ans.	Dans 6 ans.
L'an dernier.	L'an prochain.
Il y a un an.	Dans un an.
Cette année.	Cette année.
Il y a 3 mois.	Dans 3 mois.
La semaine dernière.	La semaine prochaine.
Mardi dernier.	Mardi prochain.
Avant-hier.	Après-demain.
Hier.	Demain.

— L'année dernière, j'ai appris le français.
   L'année prochaine, je vais apprendre le chinois.
— J'ai fini de déjeuner. Maintenant je vais travailler.

■ **conjugaison**

finir	**réussir**	**ouvrir**
Je finis.	Je réussis.	J'ouvre.
Vous finissez.	Vous réussissez.	Vous ouvrez.
Fini	Réussi.	Ouvert.

■ **toujours, jamais**

toujours	peu souvent
tout le temps	de temps en temps
très souvent	parfois
souvent	jamais

■ ne... jamais/ne... plus/ne... pas encore

— Tu as fait ton devoir ?
— Oui, j'ai déjà fait mon devoir hier. Et toi ?
— Moi, je n'ai pas encore fait mon devoir. Je vais le faire demain.
— Tu fumes ?
— Non, je ne fume jamais, et je n'ai jamais fumé. Et toi ?
— J'ai fumé, mais maintenant je ne fume plus : les cigarettes, c'est
fini, j'ai peur du cancer.

■ depuis/il y a

A 8 heures, je suis arrivé au bureau, et j'ai commencé à travailler.
Maintenant, il est midi et je travaille encore.
J'ai commencé à travailler **il y a** quatre heures (quand je suis arrivé).
Je travaille **depuis** quatre heures (depuis mon arrivée) et je n'ai pas encore fini.
J'habite Lyon **depuis** un an = je suis arrivé à Lyon il y a un an,
                                            et j'y habite encore.
J'ai habité Lyon **il y a** cinq ans = maintenant j'habite une autre ville.

Etudes

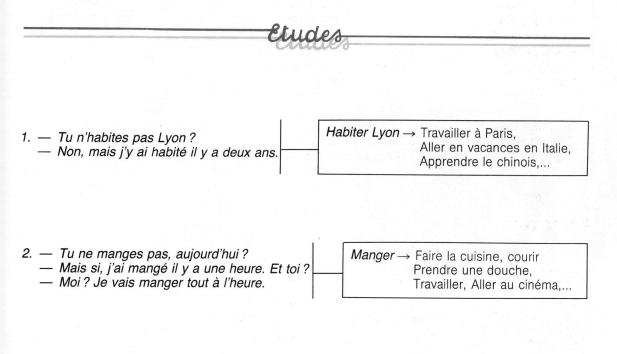

1. — *Tu n'habites pas Lyon ?*
   — *Non, mais j'y ai habité il y a deux ans.*

   Habiter Lyon → Travailler à Paris,
                    Aller en vacances en Italie,
                    Apprendre le chinois,...

2. — *Tu ne manges pas, aujourd'hui ?*
   — *Mais si, j'ai mangé il y a une heure. Et toi ?*
   — *Moi ? Je vais manger tout à l'heure.*

   Manger → Faire la cuisine, courir
              Prendre une douche,
              Travailler, Aller au cinéma,...

3. — *Si tu veux, on va se promener*
     ensemble dans deux heures.
   — *D'accord, on y va dans deux heures !*

   Se promener dans deux heures
   → Visiter la France cet été,
   Faire le devoir de maths
   chez Paul ce soir,...

Carnets de notes

Collège MERMOZ Classe de 5e 1

Nom: DUPONT
Prénom: Michel

français	: A
maths	: A
anglais	: B
histoire	: C
géographie	: B
biologie	: A
gymnastique	: B+
allemand	: C
dessin	: D
musique	: C
physique	: E

Collège MERMOZ Classe de 5e 1

Nom: BERNIER
prénom: Cécile

français	: B
maths	: A+
anglais	: B
histoire	: B
géographie	: A
biologie	: B
gymnastique	: B
allemand	: C
dessin	: A
musique	: C
physique	: E+

En français, Michel est meilleur que Cécile, mais, en géographie, Cécile est meilleure que Michel. Elle est aussi bonne que lui en anglais, mais il est moins bon qu'elle en histoire...

Continuez

Quelles matières tu aimes, tu préfères, tu détestes, et pourquoi ?
Est-ce que tu es un mauvais élève ou un bon élève ?
Comment sont tes professeurs ?

	lundi	mardi	mercredi	Jeudi	Vendre
8h		histoire-géo		histoire-géo	frança
9h	sciences nat.	français	physique	anglais	maths
10h					
11h	étude	maths	travail manuel	français	gymnast
12h	maths	anglais			
14h	anglais	gym.		anglais (lecteur)	anglais
15h		dessin			maths
16h	français				histoi géo
17h		musique			

emploi du temps

L'emploi du temps d'Adrien
Exemple des heures de cours d'un élève de 12 ans, Adrien, dans un collège de France :

Le lundi, Adrien commence ses cours à 9 h. Il a un cours de sciences nat, de 9 heures jusqu'à 10 heures ....

Continuez

Et toi quel est ton emploi du temps aujourd'hui ?
Qu'est-ce que tu as fait ?
Qu'est-ce que tu fais ?
Qu'est-ce que tu vas faire ?

116

Projets d'avenir

Luc veut être chanteur. Il ne veut plus aller à l'école.
Dimanche, il fait un concours à la radio.
Son père et sa mère ne sont pas d'accord.

Imaginez la discussion

Et toi qu'est-ce que tu vas faire dimanche ?
Qu'est-ce que tu vas faire plus tard ?
Pourquoi ?
Est-ce que tes parents sont d'accord ?

Dialoguez avec votre voisin(e)

Aimez-vous les chiens ? (suite et fin)

— *Qu'est-ce que vous avez vu ?*
— *Écoutez... Je vais vous raconter exactement... Voilà : j'ai couru jusqu'à la maison, je suis entré et dans le séjour, qu'est-ce que j'ai vu ? Monsieur et Madame Donnadieu couchés sur le tapis.*
— *Morts ?*
— *Oui, morts tous les deux.*
— *Mais comment ?*
— *Vous n'avez pas oublié ce détail, n'est-ce pas ? : personne n'a jamais vu le chien des Donnadieu...*
— *Ah, oui ! Fifi, le chien très méchant !*
— *Exactement : Fifi. Eh bien, voilà : M. et Mme Donnadieu sont sur le tapis, la gorge ouverte, morts depuis une ou deux heures et Fifi est là, tranquille. Il me regarde, tout triste. Je déteste les chiens, vous savez, mais Fifi est un très beau chien.*
— *Oui, mais il a tué ses maîtres, non ?*
— *Impossible ! Fifi est un petit chien, absolument pas méchant !*

— *Mais alors, je ne comprends plus !*
— *Mais si, c'est simple : je suis arrivé chez les Donnadieu à minuit, le mardi ; le jeudi, on a arrêté le cousin de Mme Donnadieu.*
— *Le cousin ? Il les a tués ?*
— *Non, pas lui, mais son chien. Un chien énorme. Il est venu voir ses cousins le mardi soir avec son chien. Il est parti chercher un paquet de cigarettes au coin de la rue... Quand il est revenu... Il a vu... Il a eu peur et il est parti.*
— *Oui, je vois... et le chien, alors ?*
— *Le chien du cousin ? Il a disparu, il n'est jamais revenu.*
— *Mais, dites-moi, qui a vu ce gros chien ?*
— *Personne !*
— *Alors, il n'existe peut-être pas ?*
— *On le cherche... on va le trouver.*
— *Hum ! Et Fifi ?*
— *Fifi ? C'est mon chien, maintenant. Fifi ! Viens ici !*

PONT D'IENA

RIVE DROITE

RIVE GAUCHE

souterrai

Un accident grave a eu lieu cette après-midi vers deux heures, devant la poste. Une moto a renversé M. Laval, employé aux Magasins Réunis, habitant 3, rue des Minimes. Le SAMU a transporté le blessé à l'hôpital municipal. La police recherche une moto rouge immatriculée 427 HH 02.

(Un témoin)

— Monsieur, vous avez vu l'accident?

— Oui, je l'ai vu!

— Vous voulez nous dire comment ça s'est passé?

— Eh bien, un monsieur est descendu du bus. A ce moment-là, une moto est arrivée trop vite et a renversé le monsieur. On a appelé la police et une ambulance. Ils l'ont emmené à l'hôpital.

— Et la moto?

— Elle a disparu dans cette direction.

FAITS DIVERS

Moto contre piéton à Carquefou
Une septuagénaire sérieusement blessée

Mardi, vers 17 h 30, Mme Annie Dupas, 79 ans, demeurant 36, rue Marquis-de-Dion à Carquefou, circulant à pied, a traversé imprudemment la rue de Châteaubriant à Carquefou et a été renversée par une moto pilotée par M. Emile Defay, 24 ans, demeurant 3, place de la Petite-Hollande à Nantes.

Constat effectué par la gendarmerie de Carquefou.

Souffrant de fractures aux jambes, la septuagénaire a été transportée au C.H.U. par les P.S.

CARQUEFOU : un piéton grièvement blessé par une moto

Hier soir à 18 h, rue de Châteaubriant à Carquefou, Mme Annie Dupars, 79 ans, demeurant rue du Marquis de Dion, a traversé la route alors que survenait une moto, pilotée par M. Emile Defay, 24 ans, habitant place de la Petite-Hollande à Nantes. Mme Dupars a été renversée et violemment projetée sur la chaussée. Elle a été transportée au C.H.U. par les pompiers avec des fractures aux jambes.

(vendredi 13)

— D'abord, j'ai fait la queue pour le bus. Quand il est arrivé, je suis monté, j'ai cherché mon argent pour payer, mais je ne l'ai pas trouvé ! Alors, je suis descendu du bus. A ce moment-là, une moto est arrivée et m'a renversé. L'ambulance est arrivée et s'est arrêtée, juste sur ma main. A l'hôpital, la porte automatique s'est fermée... sur mon pied, et enfin, j'ai bu le médicament du malade d'à côté !... Tout ça, c'est à cause de mon chat ! Un chat noir ! Il a renversé le lait sur moi, j'ai mis un autre pantalon et j'ai oublié l'argent dans la poche !... Ce chat, je vais le donner ! Vous ne le voulez pas ?

Liaisons

Vous‿avez vu l'accident, cet‿après-midi vers deux‿heures.
Une moto est‿arrivée.
On‿a appelé une‿ambulance.
Ils l'ont emmené à l'hôpital.

Gammes

■ le, la, les

♂	regarde le bus	— Tu **le** vois ?	⟶	Je **le** vois
♀	regarde la voiture	— Tu **la** vois ?		Je ne **le** vois pas
♂♂	les disques	— Tu **les** prends ?		Je **l'**ai vu
♀♀	et les cassettes	— Tu **les** prends ?		Je ne **l'**ai pas vu.

| où est le bus ? | — Tu **l'**as vu ? | | Je vais **la** voir. |
| où est la voiture ? | — Tu **l'**as vue ? | ⟶ | Je ne vais pas **la** voir. |

le
la → l' (devant a, e, i, o, u)

■ ce, cette, ces

Quel bus ?   **Ce** bus rouge.
Quelle voiture ?   **Cette** voiture jaune.
Quels disques ?   **Ces** disques-là.
Quelles cassettes ? **Ces** cassettes-là.

Ce train.
Cet avion.   ce → cet (devant a, e, i, o, u)

■ pour raconter

D'abord...   Ensuite...
Alors...   Après...
A ce moment-là... Enfin...

1. — *Ta moto, tu la vends ?*
   — *Tu es fou ! Je vais la réparer !*
   — *Tu ne veux pas la vendre ?*
   — *Ah non ! Je l'aime trop, cette vieille moto.*

   moto → vélo, violon, livres, cassettes, appareil photo, montre
   vendre/réparer → donner/garder

2. — *Regarde, j'ai acheté une cassette !*
   — *Pour qui ? Pour toi ?*
   — *Non, c'est un cadeau pour François.*
   — *Ah, c'est pour lui !*
   — *J'aime beaucoup cette cassette, je la trouve extra !*

   cassette ——————→ disque, poupée, voiture...
   extra ——————→ amusant, beau, rapide...
   François ——————→ Cécile, Juliette, Jérôme...

3. *VENDREDI 13*
   D'abord, j'ai fait la queue pour le bus.
   Quand il est arrivé, je suis monté.

   j'ai fait ——————→ il a fait
   je suis monté ——————→ il est monté

4. — *Je vois une moto rouge !*
   — *Moi, je ne la vois pas, cette moto-là !*

   moto rouge ——————→ chat noir, éléphant rose, homme brun...

TOUT SE COMPLIQUE

Faites-les parler.

1

2

3

4

5

6

Tout se complique - SEMPÉ

Plus vite !

LEÇON 20

🎵🎵 1. *Didier* : — Tu vas où, en vacances, cette année ?

Anne : — Je ne sais pas encore.

D. : — Non ? Mais c'est bientôt les vacances !

A. : — Oui, je sais, mais mes parents ne sont pas d'accord. Comme toujours, mon père préfère la mer et ma mère la montagne...

D. : — Et toi, qu'est-ce que tu préfères ?

A. : — Moi ? Bof... ça m'est égal, mais je préfère le calme !... Et toi, qu'est-ce que tu vas faire pour les vacances ?

D. : — Moi, je reste ici. Mon correspondant allemand va venir chez moi.

2. *La mère* : — Je préfère la montagne, tu sais bien ! Et en juillet, pas en août !

Le père : — Pourquoi pas en août ?

La mère : — En août, il fait moins beau, juillet est le mois le plus chaud, c'est mieux...

Le père : — Mais non, c'est août qui est le meilleur mois, il est moins chaud que juillet, et pour la mer, c'est mieux !

La mère : — Mais on ne va pas aller à la mer, je ne suis pas d'accord !

Le père : — Mais si !

La mère : — Non, on va aller à Argentière. On va faire des promenades.

Le père : — Non ! On va aller à la mer, on va se baigner !

La mère : — Non ! A la montagne, en juillet !

Le père : — A la mer, en août !

La mère : — Bon ! On va demander à Anne.

Anne : — Moi, je veux aller à la campagne en septembre !

3. *François* : — Moi, cet été, je vais aller en Corse.

Didier : — Tu as de la chance ! Tu y vas quand ?

F. : — Je pars dans deux semaines et j'y reste un mois.

D. : — Ça te plaît la Corse ?

F. : — Beaucoup ! C'est le plus beau pays du monde !

D. : — Ah ? Et tu y vas comment, dans ton plus beau pays du monde ?

F. : — Mes parents ont l'intention de prendre le bateau, mais moi, je préfère l'avion, c'est plus rapide.

D. : — Oui, bien sûr. Et tu vas prendre l'avion le plus rapide du monde ?

4. *Didier* : — Et toi, qu'est-ce que tu vas faire pendant les vacances ?

Laurent : — Moi, rien ! Je vais rester ici, me reposer.

D. : — Oui, mais tu vas bien faire quelque chose !

L. : — Oui, dormir... Ah ! Je vais aussi ranger ma collection de timbres, réparer ma bicyclette, me promener, lire, écouter de la musique... Et je vais me bronzer sur mon balcon, on peut se bronzer sans être à la plage.

5. *Didier* : — Allô, Kurt ? Ici c'est Didier. Alors, c'est d'accord, tu viens chez moi pour les vacances, le mois prochain ?

Kurt : — Oui, c'est d'accord. J'ai déjà pris le billet de train. J'ai réservé une couchette, comme ça, j'arrive chez toi le matin.

D. : — C'est chouette ! Tu arrives quand ?

K. : — Le 12 juillet à 8 h 35, tu notes ?

D. : — C'est noté ! C'est formidable, on va pouvoir fêter le 14 juillet ensemble ! C'est notre fête nationale.

K. : — Super ! On va bien s'amuser !

D. : — Oui ! A bientôt et bon voyage !

Pour vous mettre dans une ambiance de vacances, nous avons décidé de ne pas vous donner trop de travail !
Il n'y a donc pas dans cette leçon de gammes, d'accords ou d'études à travailler !

1) Tu préfères les vacances d'été, de printemps ou d'hiver ? Pourquoi ?

2) L'école est finie. Voilà les vacances ! Qu'est-ce que tu vas faire ?
— *Moi, je ne vais rien faire ! Je vais...*
— *Moi, beaucoup de choses ! Je vais...*
— *Moi, je veux aller à...*
— *Je ne suis pas d'accord ! Moi, je veux aller à...*

3) Comment tu vas partir en vacances ?
En train ? En voiture ? En vélo ?

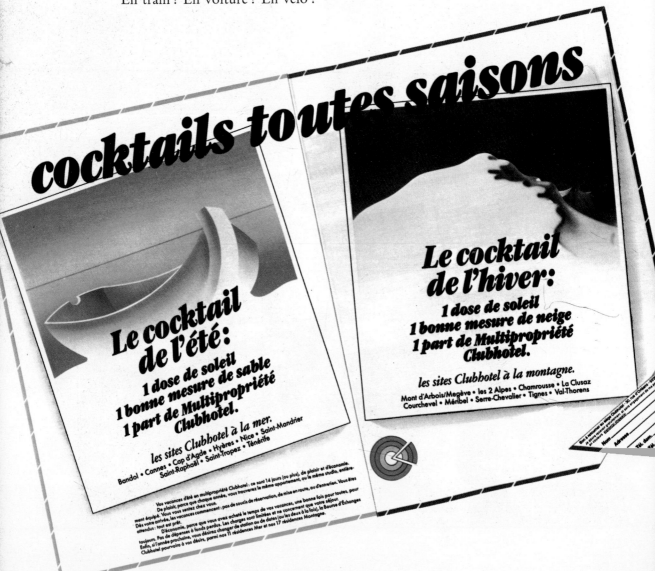

LA CORSE
en chemin de fer

SNCF
Chemins de fer
de la Corse

Gaston Lagaffe : Un gaffeur sachant gaffer
FRANQUIN   © Dupuis

TABLE DES MATIÈRES

(♪♪ = leçon « TU », ♫♫ = leçon « VOUS », ♫♫♫ = leçon « ILS » - cf avant-propos)

Aubin Imprimeur
LIGUGÉ, POITIERS

Achevé d'imprimer en octobre 1986
Nº d'édition CL 42907 IX (PF.c.VII) / Nº d'impression P 14416
Dépôt légal, octobre 1986 / Imprimé en France

Maquettiste : **Wassila TUFFIGO**